W9-BMN-984

Point de côté

DU MÊME AUTEUR

Marguerite Yourcenar, l'invention d'une vie, *Gallimard, 1990*

Carson McCullers, un cœur de jeune fille, *Stock, 1995*

Josyane Savigneau

Point de côté

Stock

Les citations figurant pages 68-69, 74-75, 83-84 du présent ouvrage sont extraites de :

La Force de l'âge et *La Force des choses*, de Simone de Beauvoir © Éditions Gallimard

L'Œuvre au Noir, de Marguerite Yourcenar © Éditions Gallimard

ISBN 978-2-234-05489-9

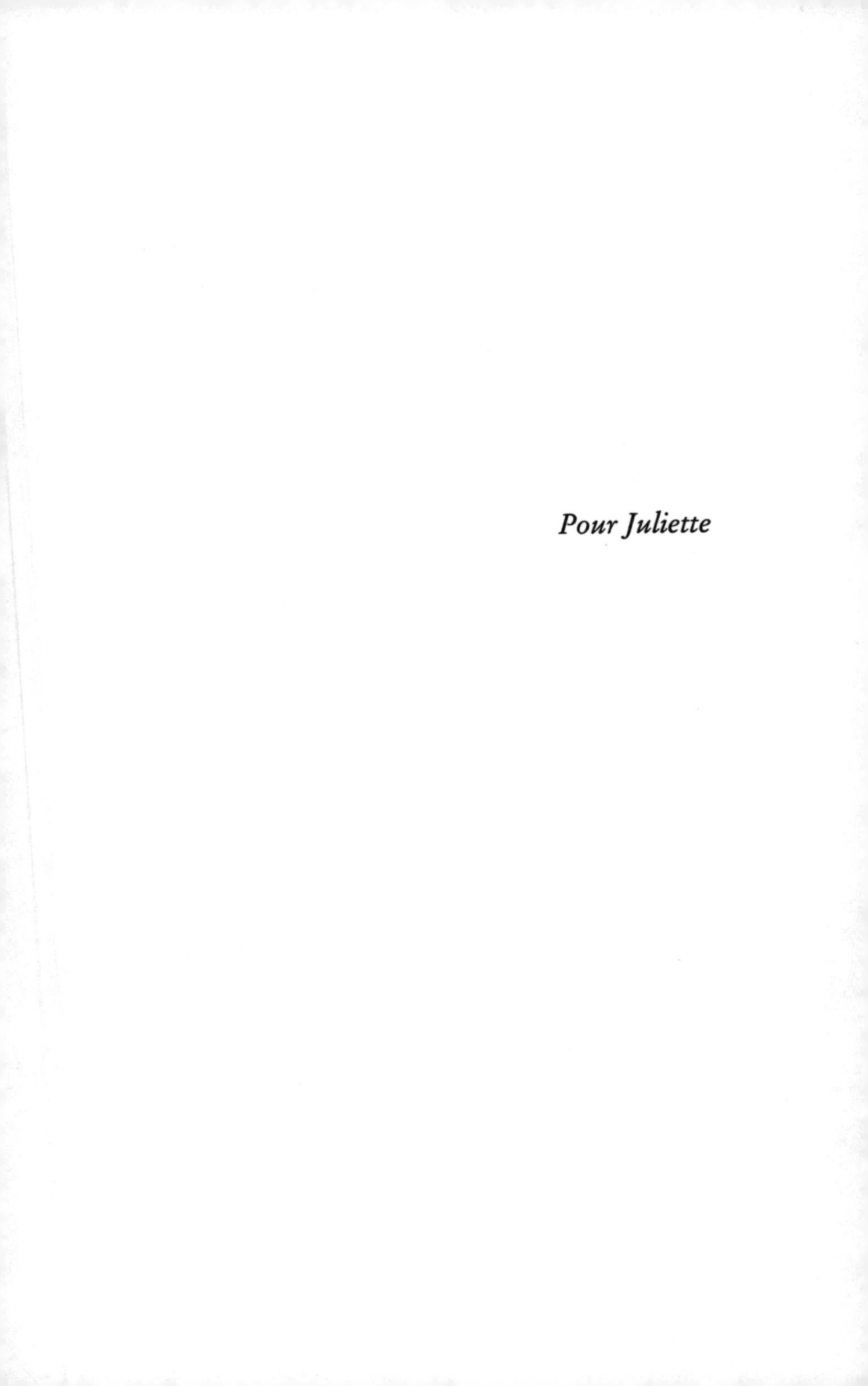

Pour Juliette

Eh bien, croyez-moi, je cours encore…

Philippe Sollers, *Portrait du Joueur*

1

Chute de vélo

Je n'ai pas voulu relire leurs calomnies. Le souvenir m'en est précis et, pour en finir, il faudra bien que je l'écrive, quitte à me salir de nouveau. Mais je dois d'abord aller au bout de l'histoire. C'était un matin de janvier 2005, dans un bureau neuf, avec un homme neuf. En fait, pas neuf du tout, juste avec un pouvoir tout neuf. Il n'avait qu'une chose à me dire. Une phrase. « La calomnie s'est imposée, il faut tourner la page. Tu ne diriges plus le service des livres. » Destitution. Éjection en une minute. Je suis restée sans voix, j'ai manqué de ce sens de la repartie dont on me crédite généralement. J'ai pourtant l'habitude de me défendre. Ou, plutôt, de défendre mes projets, mes idées, et les gens avec lesquels j'ai envie de les mener à bien. Là, c'est de moi qu'il s'agissait, et je ne savais que dire, je ne trouvais pas les mots pour réagir. Je repensais à cette phrase de Nietzsche, mille fois citée, que certains font même figurer au bas de leurs mails, comme une formule magique : « Ce qui ne me tue pas me rend plus fort. » La variante de traduction est parfois : « Ce qui ne m'abat pas me rend plus fort. » Mais j'étais abattue. À tous les sens du mot. Que répondre au propos insensé que je venais d'entendre ? Mais, surtout, d'où me venait cette aphasie soudaine ? Ce qui avait commencé un demi-siècle plus tôt, dans ce petit coin de province, « du mauvais côté du pont », comme on disait dans la bonne société de la ville, venait-il de s'écrouler ? Était-ce possible ? Je me croyais prête à affronter bien des défis et dotée d'un humour à toute épreuve. Pourtant, face à cette situation improbable, je n'étais pas de taille. Je ne l'avais jamais envisagée, je vivais sans doute dans une réalité – une irréalité ? – où une telle absurdité ne peut avoir cours.

J'étais stupide. Ce qui venait d'arriver était absolument banal. L'ordinaire du monde de l'entreprise. Des milliers de gens ont connu ce moment. En général, on utilise un argument moins aberrant, mais pas moins meurtrier. Quels qu'en soient les mots et la manière de les proférer, ils signifient : « On ne veut plus de vous. » Sauf que, moi, je me croyais dans un monde à part. Depuis près de trente ans, je travaillais dans un endroit où « ça ne se passait pas ainsi ». Pas dans une entreprise comme une autre, un journal. Pas dans un journal comme les autres : une exception absolue, née d'une étrange aventure, et ayant réussi à survivre plus de soixante ans, avec beaucoup d'affrontements, de combats plus ou moins douloureux, mais sans cette brutalité sèche. « La calomnie s'est imposée, il faut tourner la page. » En outre, une phrase, au sens propre, absurde. Si une imputation est calomnieuse, et reconnue comme telle, elle ne saurait s'imposer, tout particulièrement dans un grand journal d'information. Si elle s'impose, c'est qu'il n'y a pas de calomnie, mais une vérité, qui doit être énoncée. J'attends toujours. Ce qu'on me manifestait là, c'était qu'on convenait que les rumeurs – compromissions, allégeance à telle ou telle influence – étaient peut-être sans fondement. Mais, puisqu'il en avait été question, on allait faire « comme si » on leur accordait un certain crédit en « tournant la page ». Et la page, c'était moi.

À défaut de pouvoir donner un motif crédible à une décision de destitution, il faut s'employer à décourager l'importun – ou l'importune. Première étape : non content de supprimer une fonction, ce qui, faute d'être toujours légitime, est néanmoins légal, on supprime aussi le titre acquis, ce qui ne l'est pas. En d'autres termes, si un préfet en disgrâce peut être affecté dans une préfecture de seconde zone, on ne peut lui imposer de redevenir sous-préfet. Pour un rédacteur en chef, il en va, en principe, de même. On pouvait, « légalement », me retirer la fonction de chef de service, pas le titre de rédactrice en chef. On l'a fait... Deuxième étape : le bureau. Partout, on connaît cette symbolique-là : le bureau, son étage, sa taille, celle de la fenêtre, si fenêtre il y a, son équipement, etc. Inutile d'insister. Troisième étape, liée à la deuxième, le harcèlement moral, qui, pour moi comme pour bien d'autres, a pris comme première forme une « pièce-bureau » dans laquelle il était impossible de s'asseoir à deux – comme si la *mise au placard* ne devait pas seulement s'entendre au figuré.

Pourquoi raconter cela ? Pourquoi écrire soudain à la première personne, ce que je ne sais pas faire ? Pourquoi confier quelque chose qui me concerne moi seule, intimement, ce que je ne sais pas davantage faire ? Je n'ose même pas m'avouer, au plus secret de moi, pourquoi j'accepte de tenter ce récit, pourquoi je contredis ainsi, soudain, tout un principe de vie et de travail. Ne jamais dire « je » – pas « nous » non plus. Écrire sur les autres, des articles, des biographies. Est-ce un désir de vengeance ? J'ai envie de me venger, mais c'est une pulsion beaucoup plus physique, primitive. Je suis profondément violente. Je me contrôle. Pas toujours très bien : j'ai à mon actif quelques verres jetés à la tête de personnes qui m'avaient agressée, certes, mais verbalement. Ai-je plutôt un désir de réparation ? Sûrement. Est-ce que cet accident, cet événement imprévu, m'a obligée à me regarder enfin, à voir que je suis de ceux désignés par Guy Debord comme des « salariés surmenés du vide », fuyant, dans la poursuite de l'éphémère – l'information –, non seulement la réalité, mais surtout eux-mêmes ? Je ne le croyais pas, je pensais vivre en assez bonne intelligence avec mes névroses. Je n'en suis plus aussi certaine.

Je n'avais pas le sentiment d'être inutile. Informer m'a toujours semblé une fonction salutaire, une manière d'empêcher la machine sociale de tout niveler et de dissimuler ses échecs, ses fautes, voire ses crimes. Défendre les écrivains me plaisait, me stimulait. J'essayais de ne pas tomber dans les travers constants de la critique – encenser ceux qui seront oubliés et démolir, par jalousie autant que par cécité, ceux qui vont passer à la postérité. Mais, aujourd'hui, est-il utile de parler d'un désastre que nous sommes si nombreux à avoir vécu, que d'autres vont vivre encore ? Beaucoup y ont perdu leur vie privée, leur santé mentale, parfois leur vie tout court. Il n'est pas si facile de résister. Pourtant il est indispensable, vital, de refuser la destruction. Et il est peut-être nécessaire de tenter de comprendre ce qui se joue et pourquoi c'est arrivé. Ce qui a conduit chaque victime de harcèlement moral à devenir cette victime-là. On constate que cela atteint souvent, paradoxalement, des personnes qui ne sont en rien des victimes-nées, qui n'ont aucun penchant ni à la victimisation ni au masochisme.

Mon histoire de bureau-placard avait aussi un côté burlesque. On aurait pu en faire un sketch, et jouer – on ne s'en est pas privés – un remake de la fameuse scène de la cabine des Marx Brothers. À combien pouvait-on tenir là-dedans, en se tassant ? Guère plus de six, le record des Brothers ne serait pas battu. Comment faire entrer un bureau – le meuble – dans le bureau – le lieu ? Quant à loger un placard dans le placard, impensable... Et même avec un seul meuble et une chaise, comment fermer la porte donnant sur un couloir ? Obligation de la démonter, me transformant, essayaient de plaisanter mes amis, en « dame pipi ». Il aurait été sans doute plus judicieux de condamner la porte et d'abattre la cloison, derrière le pilier – lui était inamovible : c'est un pilier portant. La permission devait être demandée en haut lieu. Refusée : la cloison sépare mon cagibi du service que je dirigeais jusque-là... Je suppose que ma mauvaise influence aurait encore pu se faire sentir. J'ai pris le parti d'en rire. J'ai bien failli pleurer quand même, en m'asseyant pour la première fois dans ce « bureau ». Mais on dispose maintenant de toutes les camisoles chimiques pour éviter de se donner en spectacle, de montrer qu'on est vaincu. En rester à une idée simple : tenir. Ne pas être malade.

Malade, je pensais que j'allais l'être. Pas la dépression, un cancer, sûrement. Le sein – je suis dans la population à risque. C'est sûr, j'allais cesser de me défendre contre les cellules pernicieuses et elles allaient m'envahir. En principe, je vais, chaque année, me faire examiner sans crainte, me disant que je ne mourrai pas de ce cancer-là : trop bien surveillé. Pour une fois, j'avais peur. Je me répétais : si j'ai un cancer, je me battrai, cette maladie ne m'aura pas, mais si je perds quand même la guerre contre elle, je tuerai ce type qui a cassé mes défenses. Mais non, pas de cancer en vue. Peut-être ma violence et mes affreuses pensées de vengeance me protègent-elles. Quoi qu'il en soit, peur de la maladie ou pas, il ne fallait pas renoncer à s'asseoir dans ce bureau mortifère, à occuper ce placard, puisque la disparition était le but recherché. « Elle finira bien par se lasser... », confiait quelqu'un à un homme dont il ignorait qu'il est de mes amis. Toute la panoplie du harcèlement moral était en place. Malgré tout, je suis une privilégiée, car la placardisation et le harcèlement moral s'accompagnent presque toujours de l'impossibilité de travailler, de la paralysie ou, dans le cas d'un journaliste, de la condamnation au silence. Je mesure ma chance : j'ai bénéficié de soutiens et de protections qui m'ont permis de continuer d'écrire dans mon champ de compétence. Et puis, à côté des joies mauvaises, à peine dissimulées, de certains proches collègues de travail, qui m'ont étonnée bien que je ne sois pas naïve, j'ai bénéficié de solidarités également inattendues. Et, au bout de dix-huit mois, on a enfin abattu la fameuse cloison et désenclavé mon espace de travail. J'ai pu respirer un peu.

Alors, c'est vrai, il est peut-être temps de chercher à comprendre, à se comprendre. Tous ceux qui ont vécu cela le savent, le harcèlement moral n'a rien à voir avec la mesure, désagréable certes, mais acceptable, qui consiste à retirer à quelqu'un sa fonction, même s'il la remplit bien, parce qu'on est en désaccord avec sa manière de l'exercer. Rien à voir non plus avec une pseudo-promotion, qu'on peut vivre comme gratifiante même en sachant qu'elle signifie : « Débarrasse le plancher, tu déranges... » C'est fait pour détruire, pour annuler. Et pour qu'on se persuade d'avoir commis une faute, d'être un imposteur.

Longtemps j'ai eu tendance à me voir comme une « personne déplacée ». Il est vrai que, à la naissance, j'avais peu de chances de me retrouver un jour à un poste de responsabilité dans un grand journal parisien. Curieusement, c'est au moment où ce sentiment m'avait un peu quittée, où j'avais presque la sensation d'être à ma place, de remplir ma fonction, que ce coup d'arrêt m'a été donné. Les deux choses sont-elles liées ? Faut-il chercher à le savoir ? Un ami m'a dit : « Quand on tombe de vélo, il faut se l'expliquer à soi-même, le comprendre et le faire comprendre. C'est bon pour soi et utile à tout le monde, car il y a beaucoup de vélos et de nombreuses chutes. » Sans doute. Mais je ne suis pas tombée toute seule, on m'a poussée. Violemment. Et puis, sur un vélo, après en être tombé, on y remonte. Quand on vous retire, d'office, le vélo, on remonte sur quoi ? Voilà quelques mois, on m'a proposé de piloter un vélo tout neuf, qui, malheureusement, ne roulera jamais – projet abandonné pour cause de graves soucis financiers. On m'a redonné un vrai bureau. On m'a dit, et cela m'a touchée, qu'on voulait me « rendre justice ». Quand je suis entrée dans ce bureau si lumineux, tout un pan de mur vitré, m'est revenu en mémoire ce refrain si connu de Brel : « On n'oublie rien de rien, on s'habitue, c'est tout. » C'est faux. On ne s'habitue pas. On continue, c'est tout. S'habituer, ce serait effacer, ou gommer légèrement, ou encore accepter ce qui est arrivé. Rien ne s'efface et je n'accepte rien. À moins que s'habituer signifie « finir par se sentir responsable ». En ce cas, c'est sans doute juste. Bien qu'on ait lu des articles, voire des livres, sur le harcèlement moral, bien qu'on l'ait, en théorie, dans l'abstrait, au nom de la dignité des personnes, dénoncé, quand on en est victime, on est convaincu de sa banalité, presque de sa fatalité, on en vient à se dire que cela fait partie du jeu. Quel jeu ?

Dans mon cas s'est ajouté un détail. Gros comme une montagne. La calomnie qu'on a mise en avant pour me liquider a eu pignon sur rue. C'était une longue traque, commencée treize ans plus tôt, en 1992. Trois salves. J'ai bien résisté, je suis assez coriace, j'ai préservé cet humour dont on dit, avec raison, qu'il fait trop souvent défaut aux femmes. La première fois, j'ai été aidée, soutenue. Personne ne manquait à l'appel, mon journal a même intenté un procès au premier calomniateur, le moins médiocre finalement, Jean-Edern Hallier.

La calomnie. Tant qu'on ne l'a pas subie, on se trompe sur elle. On se méprend sur le mot. Le dictionnaire la définit comme une « accusation mensongère qui attaque la réputation, l'honneur », et à « calomnier », on peut lire « attaquer, tenter de discréditer (quelqu'un) par des calomnies ». C'est aussi ce que je croyais, que la calomnie cherche à blesser, à salir. Et que des personnalités particulièrement fragiles, vulnérables, en meurent – on en a quelques exemples célèbres dans l'Histoire. Aujourd'hui, je pense l'inverse. La calomnie est destinée à tuer, et, heureusement, certains y résistent. Mais elle tue tout de même. On n'en meurt pas nécessairement, mais quelque chose est tué dans le rapport qu'on a avec les autres. Et avec soi. La calomnie s'infiltre, brûle, instille un durable poison. Au milieu des mensonges, des injures et des insanités se glisse toujours un détail biographique, un petit fait vrai qui conduit la victime à suspecter ses amis, ses proches. Qui a bien pu révéler ce minuscule secret ? Qui a parlé à qui ? Qui a été imprudent, voire malveillant ? Et qui a trahi ? Il faut tenter de ne pas consentir à cette spirale de la suspicion, à cette pente mortelle. Sinon, toutes les barrières cèdent, la vie privée explose, les calomniateurs ont gagné.

Détailler des calomnies est douloureux pour la victime, et fastidieux, voire pénible, pour tous les autres. Comme le rappel des faits lors des procès. Toutefois, en comprendre le mécanisme n'est pas sans intérêt. Il faudra sans doute que je m'y affronte, à un moment ou un autre. Mais c'est seulement depuis qu'on m'a assené « La calomnie s'est imposée... » que j'y ai repensé et que j'ai cherché à savoir comment cela avait miné mon existence. Sur le moment, je l'ai un peu considérée comme une péripétie professionnelle. D'abord parce que celui qui a ouvert le feu, Jean-Edern Hallier, était un expert, et que je n'étais qu'une de ses nombreuses cibles. Ensuite parce qu'il est presque fatal que l'on s'attire des désagréments quand on refuse le ventre mou du consensus dans ce milieu littéraire, où se déploient narcissismes, jalousies et rancœurs. Une chose m'était apparue clairement, au fil des calomnies. Si je n'avais pas été un franc-tireur – tiens, comment le dit-on au féminin ? une « franche-tireuse » ? Ça me va assez bien –, j'aurais sans doute été épargnée. Quand on est une femme, née en province, dans un milieu relativement modeste, quand on ose se prétendre une femme libre, qu'on ne peut pas être cataloguée, définie conjugalement ou étiquetée sexuellement, on est vite considérée comme illégitime pour occuper un poste important dans une entreprise. La société déteste qu'on ne soit pas identifiable. Puisque je venais de nulle part, j'aurais dû éviter de cumuler les inconvénients. Me marier avec un homme dont la situation sociale m'aurait protégée, ne pas être soupçonnable d'avoir aimé des femmes, ou alors me proclamer ouvertement lesbienne, faire partie d'une communauté, qui protège aussi. Ou, au moins, afficher mes liaisons, que ce soit avec des femmes ou des hommes, en un mot être repérable. Virginie Despentes a bien montré dans son *King Kong Théorie* ce que coûte la différence. Je souscris à cette révolte des non-conformes, « toutes les exclues du grand marché de la bonne meuf ». « Je suis verte de rage, écrit Despentes, qu'en tant que fille qui intéresse peu les hommes, on cherche sans cesse à me faire savoir que je ne devrais pas être là. » Et il fallait voir le mépris que lui a opposé Gisèle Halimi – qui a dû, avec le temps, oublier qu'elle aussi avait été « non conforme », dans son enfance tunisienne – lors d'une pénible émission de télévision.

Puisque Despentes en était sortie, puisqu'elle était devenue écrivain, elle aurait dû cesser de se révolter. Plutôt remercier...

« Moi pareil », comme disent les enfants. Il m'aurait aussi fallu être reconnaissante envers ce milieu auquel je n'aurais jamais dû avoir accès, flatter ses petits maîtres. Ou bien rappeler sans cesse mes origines modestes, fustiger la bourgeoisie, pour être reconnue par ceux qui avaient eu le même parcours. Et, par-dessus tout, ne pas aimer les écrivains qui suscitent la polémique, de Sollers à Angot et Houellebecq. Soutenir au contraire les écrivains « méritants », ceux qui vous entretiennent de leur difficile jeunesse rurale, provinciale, puis, plus tard, banlieusarde, jeunesse dans laquelle j'aurais dû me reconnaître. Pas de chance, je crois qu'il n'y a aucune vertu particulière à être né dans la bourgeoisie, certes, mais aucune vertu non plus à être né dans le peuple. En littérature, cela m'indiffère. Que les écrivains soient ou non de braves types ne m'intéresse pas. Seul ce que je lis m'importe, la phrase, la manière de voir, ou non, le monde, en un mot la singularité, le style, qui ne va pas nécessairement avec la bien-pensance. Même rarement.

Un de mes amis, grand bourgeois, se moque régulièrement de moi dès que je rappelle ma reconnaissance envers l'« école républicaine », qui m'a donné les moyens de me défendre et de faire ce que je désirais. Et il n'aime guère que j'insiste sur le caractère incertain de cette supposée victoire. Comme tous ceux qui avaient chez eux de quoi se passer de l'« ascenseur social », qui sont nés, comme je le lui dis parfois en plaisantant, « avec une cuillère en argent dans la bouche », il croit qu'on a tout en soi. Pourtant, quand il a vu ce qui m'arrivait, il a admis que si j'étais née dans la bourgeoisie, les choses auraient sans doute été différentes. Je ne dis pas qu'on ne m'aurait pas destituée – des centaines de gens pourtant « bien nés » pourraient m'opposer leur exemple. Je parle de ce qui a conduit à la destitution, la calomnie. Il y avait là, de la part de Jean-Edern Hallier, grand bourgeois, comme de la part de ceux qui ont pris le relais, petits-bourgeois aigres et pleins de ressentiment, une passion de tuer quelqu'un qui n'avait pas su tenir sa place. Il était clair pour eux que, si j'étais arrivée là « malgré tout », la moindre des choses eût été de filer doux, de respecter les subtiles hiérarchies de la cléricature intellectuelle, au lieu de n'en faire qu'à ma tête, ou plutôt selon mes convictions. Comprendre que, dans cette étrange société, suivre le « sens du vent » ne fait pas de vous une « girouette » mais, au contraire, vous signale comme un être avisé... Une contorsion intellectuelle qui me laissait perplexe.

Certains – ou plutôt certaine, en l'occurrence l'éditrice Françoise Verny, qui avait de l'amitié pour moi – m'avaient prévenue. Il fallait écouter ce qui était bon pour faire carrière. J'avais entendu. Il aurait fallu dire merci – à qui ? – pour avoir obtenu, on se demandait bien comment, une place à laquelle je n'avais pas droit. Pas mon genre. Je suis là parce que j'ai été une enfant frondeuse et obstinée, et je reste une adulte révoltée et obstinée. Bien que peu familière de la pensée chinoise, je connais ce mot de Zhuangzi : « Qui commence à obéir n'en finira jamais. » Et j'ai lu aussi, dans le livre récent d'un brillant jeune écrivain, François Meyronnis, *De l'extermination considérée comme un des beaux-arts*, cette définition du cadre, « quelqu'un qui, en laissant la société escamoter son existence, s'imagine en tirer profit. Bien que floué, il en redemande ». J'étais à la fois « cadre » et peu obéissante. Je n'entendais pas être flouée – surtout par moi-même. Situation impossible. Sans doute fallait-il payer pour ce paradoxe. D'où la calomnie. Mais comment cela avait-il pu être repris en compte par le journal où j'avais passé toute ma vie professionnelle ? Le harcèlement moral, que me faisait-il payer ? Était-il, comme on l'avait prétendu, la suite « logique » de la calomnie ? Oui et non. Je le répète parce que j'en suis convaincue : avoir été calomniée était une conséquence, pas fatale mais possible, de ma défense d'une certaine idée de mon métier, et de la littérature. La « chute de vélo » et le harcèlement moral, je les ai vécus, sans me l'avouer pour pouvoir résister, comme presque toutes les victimes les vivent. Dans une étrange et souterraine culpabilité. N'étais-je pas, comme *ils* le disaient, illégitime à ce poste, n'avais-je pas usurpé une fonction, transgressé une interdiction ? Née « du mauvais côté du pont », j'avais traversé ce pont de manière inconsidérée, sans prendre de précautions, sans respecter les règles. Comme l'a élégamment écrit Régine Deforges dans son *Journal de l'année 2003*, je m'étais « échappée de la caisse d'un supermarché de Châtellerault pour diriger "Le Monde des Lettres" ». Voilà bien quelque chose qui « ne se fait pas ». Et cela venait de m'être signifié. Pour ne pas en mourir, il fallait peut-être refaire le chemin, celui que j'avais pris sans jamais regarder en arrière.

Je n'ai toutefois pas envie de raconter ma vie, de faire des confidences. Encore moins une confession. Ma vie privée appartient aussi aux personnes que j'aime, et je n'ai pas l'intention de révéler leur intimité en même temps que la mienne. La passion de la clandestinité ne m'a pas quittée. J'ai payé assez cher mon goût du secret pour être en droit de le préserver. Je crois toujours que, une fois révélées, une fois visibles socialement, les amours se détériorent et se détruisent. Mais tous ceux qui ont subi un K-O social identique au mien me l'ont répété : il faut alors faire le point sur son passé. Affronter la défaite. Comprendre que ce n'est pas une perdition. Surtout quand, comme moi, on a eu la sottise de toujours vouloir aller de l'avant, sans se retourner, comme si, le faisant, on allait être transformé en statue de sel. Je n'ai pas aimé le passé – l'art, lui, n'est jamais au passé –, sauf pour regarder les vieilles photos de famille, traquer son propre visage dans celui d'ancêtres qu'on n'a pas connus. Mes photos de famille ont disparu lors d'une inondation, ce qui ne m'a guère troublée plus de quelques minutes. Je déteste les mauvais souvenirs, et plus encore la nostalgie. Lorsque j'ai lu, voilà quelques mois, le livre de Joan Didion, *L'Année de la pensée magique*, écrit après la mort brutale de son mari, j'ai noté cette phrase : « Revenir en arrière était le meilleur moyen de se laisser submerger. » C'est ce que j'ai toujours cru. Mais j'ai fini par découvrir que, si l'on refuse de s'occuper de son passé, un jour celui-ci s'occupe de nous. Sérieusement. Violemment. C'est ce qui m'est arrivé. Comme le dit Beckett, « il est impossible d'échapper à hier, car hier nous a déformés ou a été déformé par nous ».

Ma déformation à moi, c'était l'oubli. Je n'avais gardé qu'une mémoire joyeuse, les livres, les écrivains, l'océan, les plages tôt le matin, le bonheur de nager, les foules, les paroles et les espoirs de

Mai 68, les étés que d'autres trouvent trop chauds, les rues de New York désertées en juillet, la prof d'histoire mystérieuse et brune qui m'avait fait lire *Le Monde* et me séduisait tant que je l'avais cherchée – et retrouvée – vingt ans après, les musiques, les rencontres magnifiques de ma vie d'adulte... Sans doute aurais-je mieux maîtrisé ce présent pénible si j'avais été analysée, si j'avais, à l'avance, éclairci, éclairé le chemin. Je n'ai aucun dédain pour la psychanalyse, au contraire, mais j'ai toujours pensé que l'analyse ne s'imposait que si l'on souffrait. Or je ne souffrais pas. Je riais de mes névroses. « Tu as l'inconscient qui ruisselle du béret », constataient, ironiques, mes amis analysés. Je m'en amusais, sottement sans doute. Tout comme je proclamais, aussi sottement, « certains vont chez le psy, moi je fais de la gym, à chacun son traitement ». La gym, je me suis mise à en faire comme une dingue, après la « chute de vélo ». Comme s'il fallait que je rééduque mon corps, que je le renforce, que je l'assouplisse... Cela aurait dû tout de même susciter quelques questions... Je dois bien enfin me les poser, puisque je suis en train d'écrire, et de me demander simultanément pourquoi j'écris.

J'aime les intrigues policières et même les séries télé bas de gamme – ceci n'est pas une digression. J'ai la passion des indices, comme, dans mon métier, la passion du détail – désormais, semble-t-il, considéré comme négligeable. C'est ce qui me pousse à écrire. Où étaient, depuis toujours, les signes qui, fatalement, conduisaient à cette chute ? Y avait-il, pour reprendre une phrase trouvée dans ce lucide et beau livre de Joan Didion, un « endroit où je serais toujours la personne que j'avais été avant cette histoire » ? Était-ce au bord de l'océan Atlantique, dans ma petite île, pas celle des people, celle d'à côté, Oléron ? Même pas, et Didion, comme moi, comme tout le monde, le sait bien, il n'y a pas d'endroit où l'on est la personne d'avant, il faut plutôt chercher où l'on peut, le mieux, être la personne d'après.

2

Le mauvais côté du pont

Ce fut ce qu'on appelle une enfance heureuse, et j'avais vécu dans l'illusion que rien ni personne ne me forcerait à m'en remémorer les côtés sombres. J'en avais gardé quelques impressions, quelques images. Les cygnes du jardin public, qui me faisaient un peu peur – trop blancs. La photo d'un bébé dodu, rieur – moi –, nu et à plat ventre, évidemment sur une fourrure. Celle d'une petite fille maigre et brune, butée, au pull rouge – ma mère aimait m'habiller en rouge, c'est sans doute pour cela que je préfère le noir. Les cris de ma grand-mère maternelle – elle s'occupait de moi quand mes parents étaient au travail – lorsque je rentrais, trop souvent, les mains et les genoux écorchés, les chatons qu'elle refusait que je garde à la maison, nos conflits quand j'exigeais des tartines de moutarde plutôt que de beurre et de chocolat. Les tortues que je ne retrouvais pas au printemps parce que le jardinier les avait asphyxiées en brûlant les feuilles mortes sous lesquelles elles hibernaient... Pleurs, et arrivée d'une nouvelle tortue... Le jardin refuge, les asperges du potager, les glaïeuls trop raides, les tulipes perroquets. Les myosotis et les framboisiers. Le mur escaladé pour aller faire les cent coups avec le garçon d'à côté. La glycine du jardin de ma grand-tante – je la préférais, elle me comprenait mieux que ma grand-mère, sa sœur cadette.

Des parents qui s'aiment et qui vous aiment. Qui veulent pour leur fille unique une vie meilleure. Pourtant, j'ai détesté être enfant unique. Je regardais, avec la crainte de leur ressembler, celles qui aimaient cela. Tout pour elles, ne rien partager, tout capter, être le centre du monde, la petite merveille de papa et maman. La peur de devenir l'une d'elles me conduisait à donner mes jouets, à tort et à travers. J'ai beaucoup insisté pour « avoir un petit frère ou une petite sœur ». J'ai même pleuré, chaque fois qu'une copine m'annonçait que sa mère allait avoir un nouvel enfant. À défaut, j'aurais voulu... un chien. Ni l'un ni l'autre. Je ne sais pas vraiment pourquoi. Adolescente, j'ai cessé d'en parler, et adulte je n'ai pas reposé la question. Plus je comprenais combien l'« affaire enfant » est complexe, fait partie du malentendu entre les hommes et les femmes, moins je désirais contraindre mes parents à se justifier. Ma mère avait failli mourir en accouchant, cela n'avait pas dû l'inciter à recommencer.

En attendant ce frère ou cette sœur qui ne venait pas, je m'étais fabriqué une famille imaginaire. Je ne sais plus combien on était, au moins huit. Chacun avait un prénom, mais je me souviens d'un seul, Mariette. Il y avait plus de filles que de garçons, sans doute par difficulté à inventer l'autre sexe. Je leur parlais, ils m'accompagnaient dans mes jeux solitaires. Je n'étais pas pour autant une solitaire. Dans la « vraie vie », je jouais surtout avec les garçons du quartier. Pas parce qu'il y avait là une minorité de filles. Plutôt parce que leurs jeux m'ennuyaient. Elles se préparaient, avec poupées et baigneurs en Celluloïd – bientôt remplacé par le plastique –, à devenir de bonnes mères. Je préférais la bicyclette, le foot, le patin à roulettes. Avec les filles, je sautais quand même à la corde, je n'étais pas mauvaise quand on faisait « vinaigre », la corde tournant à toute vitesse, et aussi à la marelle, parce qu'on allait, en poussant le palet, de la terre au ciel, à l'infini...

Tout cela se passait à Châtellerault, cette petite ville de la Vienne, tirée un moment de l'anonymat quand Édith Cresson a arraché la mairie à la droite mollassonne, démocrate-chrétienne, qui la tenait depuis des années – et qui vient de la reprendre. Quand on me demande où je suis née

– un jour de fête, le 14 juillet 1951 –, je précise « du mauvais côté du pont ». Je ne me l'étais jamais formulé ainsi, jusqu'au jour où j'ai interviewé une jeune romancière – elle a disparu de la scène littéraire – qui m'a dit avoir passé son enfance à Châtellerault. Spontanément, j'ai ponctué : « Moi aussi. » Elle m'a demandé où, et quand j'ai mentionné le quartier, elle a eu une moue de dégoût : « Ah ! Du mauvais côté du pont. » J'ai gardé la formule. Pour la bourgeoisie locale, dont ses parents faisaient partie, le mauvais côté du pont, du vieux et beau pont Henri-IV, c'était le quartier ouvrier, Châteauneuf, où se trouvait la manufacture, la « Manu ».

Ce n'est pas si loin, les années 1950, mais je vois tout en noir et blanc, et même en gris, comme dans un vieux film de médiocre qualité. À midi pile, la sirène de la Manu sonnait et des grappes d'hommes à bicyclette descendaient la Grand-Rue de Châteauneuf, en peloton. Moi, je sortais de l'école primaire et je remontais la rue pour rejoindre l'épicerie que tenait ma mère. Cette boutique, je ne l'ai connue que modernisée : mes parents étaient adeptes du « vivre avec son temps ». Mobilier fonctionnel dernier cri, qu'on retrouverait partout à l'identique, préfiguration des supermarchés. Déjà, à l'entrée, des « gondoles » en métal, jaune pâle je crois, pour inciter le chaland à acheter, d'emblée, ce qu'on y proposait. Sur les photos, l'épicerie d'autrefois me semblait plus agréable, plus chaleureuse, avec des meubles et des étagères en bois. Dans la réserve, il en restait des vestiges, dont les grands bocaux à bonbons en verre. Certains sentaient encore la violette. Dans le magasin, les bonbons étaient désormais enfermés dans des emballages. Mesure d'hygiène sans doute. La balance et les beaux poids en laiton, bien astiqués et rangés dans leur support en bois, ont vite été remplacés par une balance automatique. Je ne sais comment ces poids ont disparu mais on en vend de semblables, aujourd'hui, dans des brocantes. Je ne les achète pas. Le seul meuble que j'aie plaisir à me remémorer, bien que l'odeur de certains fromages me soulevât le cœur, était la « vitrine à fromages », avec, en haut, une sorte de plateau d'exposition, et, en bas, de très lourdes portes protégeant l'espace réfrigéré.

Ces images restent floues car je passais le moins de temps possible dans cet endroit. Je faisais tout pour éviter le contact avec les clientes. Je n'aimais pas leur manière de demander à être servies – les condescendantes, les supérieures, les trop familières. Je préférais rester à l'étage, dans la réserve. Pas parce que la chambre où j'étais née était devenue ladite réserve – mes parents ayant quitté l'appartement au-dessus de la boutique pour une maison –, mais parce qu'on y avait stocké des meubles, en particulier un bureau avec une dizaine de petits tiroirs, dont je suis bien triste qu'il ait disparu.

C'est vraiment un film désuet, dont le décor n'existe plus. Je n'y suis pas retournée depuis longtemps. Je déteste cette sensation de marche arrière, voir ce que le temps a détruit et refait. La dernière fois que j'y suis allée, il y a bien des années, je n'ai rien reconnu, sauf l'église. La chambre où j'étais née, avec peine, ce matin de 14 juillet, surmontait un supermarché – une supérette plutôt. J'avais du mal à revoir la rue, à y replacer les autres bâtiments... Une épicerie donc, qui jouxtait un cinéma de quartier, le Rex. Plusieurs bistrots, où l'on ne voyait, attablés, que des hommes. Fumant, buvant, jouant aux cartes... Le café en face de l'épicerie était le plus attirant pour les enfants curieux de découvertes, et, évidemment, interdit. Plus que les autres, où l'on était parfois autorisé à aller prévenir un père qu'il était l'heure de se mettre à table. C'était le rendez-vous des soldats américains basés non loin de Châtellerault. Et, régulièrement, arrivaient d'énormes voitures américaines, avec leurs lettres MP – Military Police – et leurs étranges sirènes. En sortaient quelques gros bras qui évacuaient les soldats éméchés après une journée ou une nuit de beuverie. À ce moment, les mères faisaient rentrer les enfants à la maison, en refusant de leur expliquer ce qui se passait. Trop tard, on avait déjà tout vu, bien qu'on ne puisse pas comparer avec les images des séries télé, la télévision, en noir et blanc, n'étant que dans quelques maisons. Ces Américains m'apparaissaient tous comme des géants blonds. Parfois, avant d'aller boire, ils s'attendrissaient devant les enfants jouant dans la rue, caressaient une tête ici ou là – on ne leur arrivait même pas à la taille – et distribuaient des chewing-gums. Je ne les trouvais pas tellement à mon goût, ces barrettes molles, collantes et trop sucrées, mais c'était un bonheur de les mâchonner en cachette des parents qui condamnaient l'usage de ces gommes qu'on ne doit surtout pas avaler et qui donnent un air idiot de ruminant. Curieux premier contact avec le continent d'en face.

Toujours délicat, Jean-Edern Hallier, quand il s'est intéressé à moi, près de quarante ans plus tard, a fait enquêter à Châtellerault, pour publier dans son journal *L'Idiot international* une série de doubles pages peu ragoûtantes. Tout y est passé, l'épicerie, le père « représentant en mousseux » – en fait, c'était en champagne, et l'aboutissement d'un long et courageux parcours pour cet homme qui avait vécu cinq années de sa jeunesse, de vingt à vingt-cinq ans, en Allemagne, dans un camp de prisonniers. Ainsi Hallier avait-il appris l'existence du bar pour soldats américains. Il en avait déduit que j'aimais la littérature américaine parce que j'avais connu mes premiers émois sexuels en regardant ces soldats... De ces informations, il avait surtout conclu que je n'aurais jamais dû me retrouver sur son chemin. Il est vrai que la petite fille obstinée qui revenait seule de son école à la maison, longeant l'église et la pharmacie – il n'y avait pas de grand-rue à traverser –, n'avait, *a priori*, aucune chance d'écrire un jour la critique d'un livre de Jean-Edern Hallier, ni de diriger un service dans un grand journal. Aucune chance, même si, chez moi, ce n'était pas le sous-prolétariat, même si mes parents étaient décidés à tout faire pour me donner, justement, toutes les chances. Je n'étais pas une enfant facile, au contraire, ombrageuse, belliqueuse, têtue, mais il y avait un accord tacite entre nous : si je « travaillais bien à l'école », on tolérait mes écarts de conduite.

J'étais encore très jeune, huit ou neuf ans peut-être, quand ma mère m'a donné une leçon dont je lui saurai gré à jamais. Une convocation quasi officielle pour un tête-à-tête, sérieux, comme si j'étais une adulte responsable : il fallait absolument être bonne élève, apprendre, pour gagner sa vie « et ne jamais dépendre d'un homme ». Un propos très rare, pour une femme de sa génération et de sa classe sociale. Les mères de mes copines d'école pensaient encore : « Les filles, si elles sont nulles à l'école, on s'en fiche, on les mariera. » Du coup, j'étais première de la classe. Tout le temps. Et ce fichu pont, censé séparer le beau monde du peuple, je l'ai traversé pour aller au lycée, en sixième, puis cinquième. J'ai battu à plate couture les petites filles dorées, en étant meilleure qu'elles dans toutes les matières. À l'époque, au début des années 1960, on donnait encore des prix. En sixième, j'avais raflé le prix d'excellence. Et voilà qu'en cinquième on me le refusait, alors que mes notes me destinaient à l'obtenir. Motif : j'étais, paraît-il, insolente, j'avais un esprit trop rebelle et trop indépendant. Déjà ! J'ai fait savoir mon désaccord, j'ai revendiqué ma place. On a signifié à mes parents que ce comportement était bien la preuve de ce qui m'avait valu d'être rétrogradée au « prix d'honneur », réservé à la deuxième. J'étais présomptueuse, c'était avéré.

Drôles d'années. Jusqu'ici j'avais essayé d'en effacer les mauvais souvenirs. D'évoquer seulement mon côté « garçon manqué », comme on disait, ma compétition avec les gamins du quartier, ce qui m'a appris à me battre, à vouloir, instinctivement, être traitée par eux en égale. Puisque je n'étais qu'une fille, oserais-je sauter du haut de ce grand mur du jardin ? Et roulaient-ils vraiment plus vite que moi à bicyclette ? Et qui savait le mieux pédaler et diriger le vélo sans toucher le guidon ? Les chutes, les ecchymoses, étaient des sortes de médailles. L'affolement de ma grand-mère m'apparaissait comme une reconnaissance : je n'étais pas la petite fille qu'il aurait fallu être, et ça me plaisait. Mais c'était source d'affrontements avec mes parents, auxquels elle se plaignait de moi. J'ai donc pris le parti de me taire, surtout lorsque je me faisais vraiment mal, comme pendant ces longues semaines où j'ai dû serrer les dents pour m'asseoir sans crier. Je m'étais blessée assez sérieusement, j'en porte toujours la trace. Cela m'amuse, cette enfance-là me plaît encore.

En revanche, j'ai enfoui toutes les humiliations. Elles sont revenues en force quand on m'a contrainte à cette humiliation radicale – « La calomnie s'est imposée, etc. » Soudain, j'ai revu, en couleurs, ce que j'avais voulu effacer, ces clichés en noir et blanc, ou même sépia, devenus inutiles et encombrants. Non que je les révoque, bien sûr, mais je les croyais périmés. J'ai alors réentendu des voix, des intonations, j'ai revu des scènes qui, certainement, ont forgé mon caractère. Mon sale caractère, disent mes ennemis – et même mes amis.

Cet après-midi épouvantable chez la jolie petite blonde, Olga. Nous devions avoir douze ans, j'en paraissais quinze et elle dix. Père médecin – du bon côté du pont. Grand-mère russe, accent magique. Intérieur cossu, raffiné. Piano, dont la grand-mère joue bien, et où elle surveille les progrès de la petite Olga. Comment me suis-je retrouvée là ? Comment ai-je été amenée à entendre ce « Viendrais-tu jeudi goûter à la maison ? » Pourquoi moi ? J'imagine aujourd'hui la conversation, entre Olga et sa grand-mère, au moment d'établir la liste des petites invitées. Certes, elle habite le quartier populaire, sa mère tient une épicerie... Mais elle est la première de la classe. Première presque partout. Il serait curieux de voir à quoi elle ressemble. Connaît-elle au moins les bonnes manières ? Ne parle-t-elle pas trop fort – c'est souvent le cas dans les milieux populaires ? Olga ne sait pas trop si je suis timide ou froide. Ou les deux. Pas franchement chaleureuse, c'est certain. Et puis, je m'habille bizarrement. N'avais-je pas cet hiver des vêtements noirs, sans aucun deuil à l'horizon, juste par goût ? Effarement de la grand-mère : la petite Olga, elle, fait plutôt dans le cachemire bleu. Invitée néanmoins, j'y suis allée. Un après-midi de cauchemar. La grand-mère russe, roulant délicieusement les « r », demande à Olga de se mettre au piano pour montrer à ses amies combien elle est douée. Qui veut jouer après Olga ? Pas moi. Tu n'apprends pas le piano ? Tu ne fais pas de danse non plus ? Savait-elle, la grand-mère, que je la voyais, et que je la verrais toute ma vie, me dévisager, m'observer de manière trop insistante. J'avais les cheveux tirés en arrière, en une longue queue-de-cheval. Je n'étais pas blonde et j'avais sûrement un air peu amène, voire revêche. Et de grands yeux verts pas très contents de ce qu'ils découvraient là.

J'ai beau croire, aujourd'hui, que je peux regarder tout cela de loin et de haut – pendant quelques mois, cassée, j'ai cessé de le penser –, en ce temps-là, à côté de la petite et si fine Olga, je me sentais gauche, lourde, pataude. Aurai-je jamais cette aisance, ce détachement ? Plus tard, je comprendrais qu'on pouvait jouer à les avoir, les mimer sans les posséder vraiment, car ce sont des choses qu'on n'acquiert pas. Elles se reçoivent en héritage, se transmettent de génération en génération sans mots ni injonctions, par une sorte d'osmose. Nul regret et moins encore d'ironie dans ce propos. Juste un constat.

Il est étrange que ces événements minuscules, si lointains, refassent surface quand il est question de calomnie. Calomnie et humiliation ont évidemment partie liée. Les souvenirs d'enfance qui resurgissent aujourd'hui sont des moments d'humiliation sociale. La petite fille qu'on invite dans une maison où elle n'a pas sa place, où elle n'est pas « à sa place ». Juste parce qu'elle est « méritante » – ce mot affreux que je refuserai toujours d'entendre, et plus encore d'employer. Un jour, je me suis juré de ne plus jamais me laisser humilier. D'où ma violence, mon intransigeance, mon caractère opiniâtre, mon peu de goût – on dira que c'est un euphémisme – pour le compromis. Alors, quand on m'a forcée à courber l'échine, à consentir au triomphe de la calomnie, c'est comme si on avait dynamité le barrage construit avec acharnement pour que me laissent en paix ces souvenirs. Sans doute m'a-t-il été intolérable qu'on blesse à nouveau cette petite fille-là.

Pour me consoler de tout, pour me faire vite oublier ces moments, j'avais déjà la solution. Les livres. Chez moi, il n'y en avait guère, mes parents sont devenus lecteurs avec moi, et pas tout de suite – on les voit mal se mettre à la « Bibliothèque rose ». J'ai fait une consommation intensive de la collection « Rouge et or » et de la « Bibliothèque rose ». *Le Clan des sept*, mais surtout *Le Club des cinq*. Je ne me reconnaissais pas en Annie, la raisonnable, je m'identifiais à Claudine, le garçon manqué se faisant parfois appeler Claude. Celle qui me faisait rêver, c'était Caroline, l'héroïne d'une série des grands albums Hachette. Le souvenir que j'en garde tient en un mot : « indépendance ». Elle ne s'habillait pas comme les petites filles, portait une salopette rouge et des ballerines de la même couleur, elle conduisait sa voiture, elle voyageait dans le monde entier, jusqu'en Arizona, dans un ranch, où elle avait fait un rodéo. Elle était, si j'en crois ma mémoire trouée, ou plutôt une fausse mémoire recomposée, américaine – du moins son auteur était-il à l'évidence américain. Il m'a fallu attendre le mois d'avril 2007 pour découvrir que j'avais tout faux, ou presque, sur Caroline. Elle était indépendante, certes, portait une salopette rouge, conduisait sa voiture et aimait les voyages, mais son auteur n'était en rien américain. Il s'appelait Pierre Probst, était né à Mulhouse et venait de mourir à Suresnes, à quatre-vingt-treize ans. À cette occasion, je me suis aperçue que je confondais en une seule personne deux héroïnes de mon enfance. L'autre fille libérée dont j'enviais le destin était bien américaine, et inventée par une Américaine, Caroline Quine, publiée dans la « Bibliothèque verte », qu'on abordait après la « rose ». Caroline en était l'auteur, non le personnage, qui, elle, s'appelait Alice. Une adolescente détective en herbe. Mon unique reproche était sa blondeur, car je ne pouvais pas m'identifier à une blonde, je ne me rêvais qu'en brune à la peau mate. J'étais plutôt brune, voire auburn, avec une peau claire, fragile au soleil, qui ne m'aimait guère alors que je l'aimais tant. Les histoires d'Alice, j'ai dû toutes les lire, avant de les oublier. Toutefois, je sais encore qu'on la retrouvait *au bal masqué*, *au Canada*, *au manoir hanté*, *aux îles Hawaï*, partout où il y avait un mystère. Elle menait l'enquête et résolvait les énigmes. Je m'y voyais ! Elle conduisait sa voiture, une belle américaine, décapotable je crois bien – en tout cas, moi, je la voulais décapotable –, offerte par son père, qui la choyait, essayant de pallier ainsi l'absence de sa mère, morte quand elle était enfant. Était-ce mon rêve, mon père pour moi seule ? J'ignorais tout d'Œdipe, mais il était bien présent.

Moi, dans la vie « pour de vrai », j'avais une mère, et, je l'ai dit, de l'estime pour sa manière de m'éduquer. Pourtant je me déterminais contre elle. Elle pleurait facilement, moi pas. Elle avait peur des souris, je les aurais prises dans ma main. Elle était blonde, j'étais brune. Elle était de petite taille, j'étais grande pour mon âge. Etc. Elle avait renoncé à conduire, je demanderai à mon père de m'apprendre, en secret, au tout début de l'adolescence. Mon père… Je ne vais pas en rajouter sur mon colossal Œdipe, cela ferait trop rire – même moi. Est-ce à lui que je dois mon désir d'être journaliste ? Ma passion de l'info, c'est sûr. Je l'ai toujours vu arriver, à l'heure du déjeuner, le journal local à la main. Au début de la guerre d'Algérie, qu'on appelait « les événements », il était rivé au poste de radio – disait-on encore TSF ? Peut-être bien. Il m'imposait de me taire et d'écouter, il insistait pour me faire comprendre la gravité de la situation. Il a applaudi au retour du général de Gaulle, qui avait été son héros quand il rêvait de s'évader de son camp de prisonniers et de rejoindre Londres. C'est mon premier vrai souvenir politique. Mon premier article, ma première « brève », je l'ai écrite sur mon cahier, à l'encre violette : « Le général de Gaulle revient au pouvoir. Va-t-il remplacer le président Coty ? » Il me semblait vaguement que c'était un retour au pouvoir dramatique, que certains ne partageaient pas la vision de De Gaulle en sauveur, celle de mon père.

Sur l'Algérie, si j'essaie d'oublier ce que je sais désormais, il reste des mots, des pleurs, des voix. Les mots « guerre civile », une association incompréhensible, puis « attentats » et « OAS ». Les pleurs, quand le fils d'Unetelle était « envoyé en Algérie », puis qu'un autre avait été « tué en Algérie ». Les voix, c'est plutôt une voix, celle de De Gaulle. « Je vous ai compris... » Et, après le putsch de Challe, Salan, Jouhaud et Zeller, à Alger, cette inoubliable colère sur ce « quarteron de généraux en retraite », je l'entends encore. Au point que lorsqu'on m'a demandé, pour une émission de radio, de choisir des voix et des propos qui m'avaient marquée, j'ai voulu, entre autres, ce discours de De Gaulle.

Ce goût pour l'information, prédestination ? Vocation ? Je n'y crois guère. Mais signal, début d'intérêt. Qui allait se renforcer avec l'arrivée du poste de télévision. Et l'assassinat de John Kennedy. Les mauvaises images saisies au hasard, les commentaires sur le tailleur rose de Jackie, taché de sang, qu'on voyait en noir et blanc. Les photos de ce président jeune et beau, avec une femme élégante – rien à voir avec René Coty, avec tous ces Français bedonnants en costume sombre. Et ce petit garçon s'avançant pour saluer le cercueil de son père... Une musique solennelle, un commentateur de télé grave... Il existait donc des pays où l'on tue des présidents. J'ose espérer que mon intérêt pour les États-Unis n'est pas né de ce spectacle, mais je n'en suis pas certaine.

Bien sûr, il était interdit d'allumer soi-même le téléviseur et de rester scotché devant les programmes. Ce n'était pas le temps de la téléphagie; regarder la télé demeurait presque une cérémonie. Mais j'avais droit aux émissions pour enfants, et, en compagnie de mon père, au journal télévisé. Je connaissais les noms de tous les ministres, mes petites copines trouvaient cela ridicule. Les ministres, on s'en fout, ça sert à quoi ? Je ne savais pas trop non plus à quoi ça servait, un ministre, mais j'étais contente de pouvoir associer une fonction à un nom. N'allons pas jusqu'aux étiquettes politiques. Quoi qu'il en soit, ils étaient tous gaullistes, non ?

Quelques années plus tard, j'allais défiler pour renvoyer de Gaulle à Colombey. C'était un mois de mai très ensoleillé, qu'on dit aujourd'hui vouloir enterrer, avec l'arrogance de l'ignorance et de la sottise régressive. C'était un beau printemps, celui de 1968, j'allais avoir dix-sept ans et aimer follement cette révolte en fête. Mon père était furieux de me voir défiler contre son héros, de Gaulle. Je l'ai traité de fasciste. J'ai reçu une gifle magistrale. Une des très rares qu'il m'ait données. Méritée. Je vivais un moment exceptionnel, que je percevais confusément comme fondateur, comme un basculement, mais j'avais aussi l'impudence de cette génération, si justement qualifiée par Philippe Sollers dans *Le Secret* de « demi-siècle », qui n'a connu aucune guerre, qui a passé son enfance dans les années de la paix retrouvée, de la reconstruction, de l'avènement de la société de consommation, comme on disait – télévision, réfrigérateur, machine à laver le linge, puis la vaisselle... Cette consommation, cette abondance qui avait fait défaut à nos parents et ferait peut-être défaut à nos enfants, nous pouvions la décrier. Non sans raisons, avec une étrange prémonition de ce qui nous attendait. La guerre d'Algérie ne nous avait pas directement atteints, sauf quelques-uns ayant perdu un proche. Avec nos aînés de quelques années, nous avions défilé contre la présence américaine au Vietnam, mais n'était-ce pas seulement l'euphorie de « participer à » ? Les Français avaient eu tort de vouloir garder l'Algérie, les Américains n'avaient rien à faire au Vietnam, ma vision géopolitique devait s'arrêter quelque part par là... Ce que je voyais d'abord, en ce Mai, c'était la joie, enfin, dans un lycée qui m'enfermait, me pesait, d'être ouvertement rebelle, après des années de grisaille.

3

La bourgeoisie de Poitiers

À la fin de cette classe de cinquième où l'on m'avait rétrogradée – déjà – pour cause d'insolence, adieu Châtellerault. Finie l'épicerie, ma mère n'allait plus travailler à l'extérieur et mon père devenait « cadre » dans une entreprise de Poitiers. La préfecture. Une trentaine de kilomètres seulement séparent Châtellerault de Poitiers, néanmoins c'est un tout autre monde qui m'attendait. Dans la quatrième où l'on faisait latin-grec, on mettait les meilleures élèves, du moins celles qu'on jugeait telles de par leurs résultats scolaires. Encore une fois, pas de mixité. Les garçons à Henri-IV, les filles à Victor-Hugo – on n'avait pas même trouvé un nom de femme illustre pour ce gynécée. Un lycée de centre-ville, qui n'avait rien à voir avec celui de Châtellerault, et ses quelques filles de notables ou d'enseignants. Ici, dans la quatrième latin-grec, la proportion de filles de cadres supérieurs et de profs de fac, médecins, avocats, devait friser les 90 %. Bourgeoisie catholique et protestante – pour cette ville où l'on était censé avoir arrêté les Arabes, donc protégé l'Occident... Petite bourgeoisie intellectuelle, de droite et de gauche. Certaines filles me semblent déjà avoir avalé une bibliothèque et être fières de l'afficher. Je ne vais pas en appeler à Pierre Bourdieu : ses propos sur la logique, voire la fatalité de tout cela, ne m'ont pas vraiment convaincue. Il est toutefois indéniable que, chez elles, à supposer que *Le Club des cinq* et les « Caroline » aient été autorisés à franchir le seuil de la maison, ils avaient vite laissé place à la littérature. Alexandre Dumas sûrement, un peu de Balzac peut-être, et des auteurs sans doute désormais tenus pour mineurs. Je sens bien que je ne pars pas en pole position. Je ne vais même plus pouvoir me rassurer avec mes bonnes notes, il va falloir lutter si je veux d'abord tenir le coup, ensuite reprendre la main.

Je n'ai pas aimé ce lycée : trop caserne. Je n'ai pas aimé cette ville que je trouvais pesante, close sur elle-même. Sauf plus tard, la fac, qui était comme un « hors-les-murs », un monde à part. C'est certainement dans ce Poitiers du milieu des années 1960 qu'est née ma détestation de la province. Il paraît qu'on ne doit plus employer ce mot, dépréciatif, mais dire « en région ». Il paraît aussi que tout le monde veut quitter les grandes villes, Paris en premier lieu, pour habiter « en région », donc, et venir travailler en TGV. Grand bien leur fasse, à tous. Moi, j'ai déjà donné. Je n'aime que les très grandes villes, Paris, encore aujourd'hui, même si je trouve la vie nocturne assez triste, peut-être parce que j'ai vieilli et ne vais plus là où « ça se passe », New York naguère, avant Giuliani, avant l'ère du clean et de Disney prenant la place des putes et des mauvais garçons de Time Square. Les villes où l'on peut être ignoré, se dissoudre dans l'anonymat. En mourir parfois. Seul. C'est le risque.

Je le prends. J'aime les immeubles impersonnels, où les locataires changent souvent. On ne se connaît pas, on s'en tient, dans l'ascenseur, à une banale courtoisie – « bonjour », « bonne journée », « au revoir », « bonne soirée ». Parfois, quelques considérations sur la météo, rarement bonne. Point final. Pas de convivialité. Pas de reconstitution d'une supposée famille. Ne pas se confier ni se mettre en situation de recevoir des confidences. Est-ce incongru ? Un signe de misanthropie ? Peut-être. Ou simplement le besoin d'avoir un espace de vraie solitude, de repli, sans menace d'intrusion inopinée. Ce qui ne signifie pas se comporter en ours. Telle personne a constaté que je recevais beaucoup de livres et m'en demande pour la fête de l'école des enfants. Volontiers. La dame du septième est libanaise et sait que je vais souvent à Beyrouth. Pourrais-je aller voir son avocat là-bas et lui rapporter l'objet qu'il me donnera ? Bien sûr. Se rendre service, certainement ; se fréquenter, en aucun cas. Ceux qui détestent ces villes qu'ils disent inhumaines racontent qu'on peut y tomber dans la rue et être enjambé plutôt que secouru. Je n'ai eu que des expériences contraires. Récemment encore, j'ai reculé trop près d'une station de Vélib'. Quand j'ai voulu repartir, j'ai accroché un vélo et mon pare-chocs arrière est tombé sur le sol. Je devais avoir l'air perdu. Deux hommes sont arrivés et m'ont rassurée en m'expliquant qu'on pouvait le remettre, qu'il suffisait d'encastrer des sortes de clips dans leurs supports. Dès que je tentais de les aider, ils m'en empêchaient, prétextant que j'allais me salir... Le vieux style... Pourtant ce n'était pas des ancêtres. Ils ont dû y passer dix bonnes minutes, et un tout jeune homme est venu leur prêter main-forte pour les dernières manipulations. Je ne savais comment les remercier. « Un bisou », a dit l'un d'eux. Ils sont repartis dans la ville. Moi aussi. Nous ne nous reverrons jamais.

Poitiers, c'était l'inverse. Qui connaît qui ? Qui voit qui ? Tes parents sont-ils eux aussi reçus chez les X ? As-tu déjà rencontré le fils de Y ? Ton père fait-il partie du Rotary-Club ? etc.

Dans ma tête un peu embrouillée, perturbée par la découverte de ce nouveau monde, une seule chose était claire : je m'enfuirais, ma vie se ferait loin de tout cela, je ne ressemblerais jamais à ces gens-là. J'irais me perdre, ou me trouver, ailleurs. Je ne savais pas le formuler, mais je savais déjà qu'ils vivaient dans les apparences, dans le faux, et préparaient leurs enfants à suivre le même chemin. Heureusement, au milieu de leur progéniture, ces petites filles sages, bien propres sur elles – chaussettes, chemisiers à col Claudine et jupes plissées –, il y avait un personnage que profs et élèves regardaient de travers, et qui, pour cette raison, et pour d'autres, me plaisait. Malgré la blouse, car on portait encore des blouses en ce temps-là – cela protégeait de la folie des marques qui occupe les adolescents d'aujourd'hui, et avait même été institué pour gommer, à l'école, les différences sociales –, on pouvait voir qu'elle était habillée différemment, plus chic. Et la blouse ne couvrait pas les chaussures. Elle en avait des dizaines de paires, que j'admirais. Elle était grande, un peu ronde, un peu lourde serait plus juste, des traits assez épais, mais avait beaucoup d'allure. La blondeur constante de ses cheveux – tandis que les autres blondes se désolaient de voir leur chevelure s'assombrir avec l'adolescence – signalait le très bon coiffeur, et pas la décoloration faite à la maison. Le sac Hermès n'était pas une contrefaçon. Les petites-bourgeoises – j'entends encore les commentaires de leurs parents – trouvaient qu'elle faisait « nouveau riche ». Moi pas, peut-être à tort. Regarder ses bijoux, essayer ses vestes à la coupe impeccable, satisfaisait mon goût du luxe et une certaine futilité que je conserve, sans honte aucune. Et puis elle portait tout cela avec ostentation, comme une carapace à son malaise d'adolescente. Comme si elle voulait se rassurer en affichant une différence si radicale qu'elle pourrait expliquer qu'on veuille l'exclure, la rejeter. J'avais un malaise identique, j'essayais de le masquer autrement, en tentant d'être, de nouveau, meilleure que les filles sages. On s'aimait bien, on était toujours ensemble, à part. Curieux binôme, cette fille qu'on dirait aujourd'hui branchée, et l'ado mal dans sa peau, devenue disgracieuse. La petite fille un peu maigrichonne, nerveuse et sportive que j'étais s'était épaissie. Je ne me voyais pas encore comme un monstre et n'étais pas encore tombée dans la frénésie des régimes de toutes sortes, les plus dangereux et les plus inefficaces, qui allait me tenir pendant des années. Cette belle plante blonde, appelons-la Anna, ne m'a jamais invitée chez elle, et j'ai infiniment apprécié cette discrétion ; j'y ai lu la délicatesse d'une personne consciente que sa maison me paraîtrait trop somptueuse. Elle habitait une propriété à une certaine distance de la ville, son père était médecin. Sa mère... blonde et très élégante, je l'ai vue de loin, quand elle venait la chercher.

Anna lisait beaucoup, des livres – achetés par ses parents – qui venaient de paraître, ce que personne d'autre au lycée ne faisait, mais elle ne se tuait pas au travail. Nous avions mis au point un assez bon système pour qu'elle ait un œil sur ma copie. Nous étions toujours côte à côte, et j'essayais de mettre ma feuille dans son champ de vision. Nous avions aussi quelques codes pour communiquer en silence. Nous nous sommes quand même fait prendre. Peut-être en mathématiques, où je n'étais pas excellente. Elle avait probablement recopié une de mes erreurs. On lui a mis zéro, à moi aussi, et je fus prise à part par le prof principal qui m'expliqua que je subissais sa « mauvaise influence »... Un propos imbécile, qui, décidément, devait me poursuivre. Une petite fille méritante ne se lie pas à des gens non conformes, une journaliste qui a eu la chance d'arriver là où elle est ne défend pas des écrivains non conformes... Chaque fois, j'ai choisi. Cette fille était la plus intéressante de cette classe de fortes en thème sans imagination, et elle est mon meilleur souvenir de cette première année en immersion dans la bourgeoisie de Poitiers. Elle était une image de l'ailleurs, de quelque chose de plus désirable, de plus mystérieux aussi. Je ne sais plus à quel moment je l'ai perdue de vue, elle a dû quitter le lycée. Trop mauvais résultats scolaires, donc boîte privée. Je me demande quel a été son destin. Peut-être sinistre. Mari, enfant, déprime, divorce. Elle pouvait d'ailleurs être déjà sur ces rails, et peut-être ai-je majoré la subversion de cette différence qui m'enchantait... J'espère que non, je voudrais qu'elle ait eu raison de tous ceux qui la méprisaient. J'ai compris, bien plus tard, que son patronyme bizarre était l'altération, probablement pendant la guerre, d'un nom juif. Et que le sac Hermès, les fringues de marque, les chaussures à la dernière mode et les bijoux de prix cachaient des blessures sans doute beaucoup plus violentes que la seule crise d'adolescence.

Malgré cette « mauvaise fréquentation », je m'employais moi aussi à avaler une bibliothèque pour qu'il faille de nouveau compter avec moi. J'ai mis un peu plus d'un an à rejoindre le groupe de tête. Et tout a recommencé. Viendrais-tu faire un tennis avec moi ? me demandait la petite trique sèche, sans fesses et sans même l'embryon d'une poitrine, qui voussoyait ses parents, disait faire partie de la HSP, sigle qu'elle s'empressait, faussement modeste, de décrypter – « haute société protestante » – pour les ignares du peuple. Maman nous conduira et passera nous reprendre. Finalement, j'y suis allée : il faut voir de près ces gens. Et puis le tennis n'était plus réservé à la bonne société, il y avait même un club municipal. J'ai appris. Je n'étais pas très bonne, mais je tapais fort. Je renoncerais quelques années plus tard, n'ayant pas assez progressé, et plus de goût pour un sport où un partenaire est indispensable...

Un jour, j'ai vu de nouveau se profiler le spectre du « viens goûter à la maison ». Mais pourquoi donc ai-je accepté l'invitation ? Père universitaire de renom, mère artiste, grande famille catho genre huit enfants, magnifique maison dans la campagne poitevine. Je ne me sentais pas humiliée comme naguère chez la petite Olga, mais déplacée, avec un vague malaise, et une crainte. Dans la manière de me considérer, il y avait, presque imperceptible – on est chrétien, charitable –, comme de la condescendance. Pire, une certaine compassion. En ville, je serais partie très vite, mais là, impossible, il me fallait attendre qu'on me raccompagne. Toujours ce sentiment déplaisant d'être là *en dépit de* mon milieu social et *à cause de* mes bons résultats scolaires.

Je n'étais jamais retournée là-bas et je n'avais jamais repensé à cet après-midi-là. Des années plus tard, j'ai revu cette fille. Lisant ma signature dans *Le Monde*, elle m'avait appelée pour savoir si j'étais bien son ancienne condisciple. Je l'ai retrouvée avec plus de plaisir que je n'en avais eu à la connaître. Intelligente, subtile, sportive. Elle habitait au bord de l'océan Atlantique et m'a prêté à plusieurs reprises son appartement. Elle m'a invitée à son mariage, dans la grande maison poitevine. Je répugne à assister à des mariages, que je trouve presque aussi sinistres que les enterrements. Mais j'avais de l'amitié pour elle, et celui qui allait devenir son mari m'était particulièrement sympathique. Je savais aussi qu'elle était dans une situation difficile : son très catholique père devait détester l'idée de ne pas marier sa fille à l'église et elle épousait un homme divorcé. J'y suis donc allée, avec une femme que j'aimais. Son statut d'universitaire reconnue dispensait de suspicion sur la nature de notre relation : entre une journaliste littéraire et un prof de littérature, une amitié était « normale ». Je conduisais. À une dizaine de kilomètres de l'arrivée, je me suis soudain arrêtée sur le bas-côté et j'ai dit : « Je n'y vais pas. » Me revenait le malaise de mon adolescence, le souvenir de n'avoir connu cette maison que parce que j'étais « bonne à l'école » – donc, pour cela au moins, une fréquentation acceptable. « Mais aujourd'hui tu es journaliste au *Monde*, m'a dit mon amie, et ils vont se mettre en frais. » Ce ne fut que trop vrai.

Je n'ai toutefois jamais été une petite fille triste ni une adolescente maussade, introvertie. Tout au contraire. Ce que je raconte là n'a resurgi qu'à l'occasion de ma blessure d'adulte. Les psys feraient sans doute mille commentaires pertinents : déni, dénégation, occultation de ce mal-être d'enfant, que j'ai compensé par d'autres affirmations très – trop ? – péremptoires. Certes... J'ai dit combien mes amis analysés se moquent de mon inconscient au ras du béret. C'est sûrement vrai. Mais ce déni me faisait aimer la vie, la mer, les étés caniculaires, trop rares sur l'Atlantique. Nager au large, loin, en se disant « en face, c'est l'Amérique ». Aller au ciné et discuter à l'infini du film qu'on venait de voir, écouter, à plusieurs, de la musique.

Avant le classique et le jazz, je me passionnais pour la chanson. Plus ou moins bonne. Au jazz, je suis venue d'abord par les voix de femmes, Ella Fitzgerald et Billie Holiday. À l'opéra aussi. Une de mes copines était toquée de Callas. Tous les disques... les photos dans sa chambre. Moi je n'aimais pas afficher ainsi mes enthousiasmes, je les gardais pour mon journal intime, que je crois avoir jeté. Il était sûrement grotesque. Ce n'était pas uniquement pour contredire la fan de Callas que je disais préférer Elisabeth Schwarzkopf – cela devait tout de même ajouter à mon plaisir. Son côté glacé et glaçant de perfectionniste absolue n'était pas pour me déplaire. Je la supposais inflexible, avec les autres et avec elle-même. Comme beaucoup à l'époque je grattais la guitare, mal, pour chanter avec les amis. J'écoutais du bon rock, et du mauvais. Peu de musique classique. Un peu Mozart déjà, grâce à Schwarzkopf, mais pas de baroque. Je crois que je ne connaissais pas le clavecin, un de mes instruments préférés aujourd'hui. Cette musique a, pour moi, remplacé le rock – pas le jazz – et la chanson, à quelques exceptions près. Des femmes, surtout. Barbara, même si le côté grand oiseau blessé par la vie séduit d'abord les adolescents qui se cherchent. Pour ce moment où l'on aime soigner le mal par le mal, Barbara était le remède parfait… N'étant pas vraiment mélancolique, j'aimais aussi son humour, sa fantaisie, son rire, sa manière provocante de moduler « j'ai troqué mes chaussettes blanches contre des bas noirs ». Je l'ai vue des dizaines de fois sur scène. Plus elle en rajoutait sur « ma plus belle histoire d'amour, c'est vous », plus elle perdait de la distance, plus j'en prenais, moi, avec tristesse. J'ai cessé d'aller dans les salles, pour garder une Barbara qui ne vieillit ni ne meurt, s'amuse de ses insomnies et se lasse de ses amants.

Autant Barbara me semblait proche de mes quatorze ans, autant une autre femme, dont la voix me troublait, me semblait inatteignable. Je n'avais manqué aucun épisode de *Belphégor*, et j'avais voulu faire couper mes cheveux, très longs, comme les siens. Raté. La coiffeuse de quartier m'avait fait une coupe horrible, avec une nuque de garçon. J'ai dû attendre qu'ils repoussent pour avoir enfin ce carré de cheveux bruns. En 68, je l'avais et je ne m'étais jamais sentie aussi bien. Il ne suffisait pas de se couper les cheveux pour s'approcher de Juliette Gréco. Dans sa voix, il y avait le velours et la fermeté, l'ironie et l'élégance, une certaine retenue et un goût gouailleur de la provocation, quelque chose de sauvage et, en même temps, d'extrêmement maîtrisé. C'était une légende, un mythe, elle était ailleurs, presque irréelle. Barbara, on pouvait peut-être la rencontrer, lui parler, pas Juliette Gréco. Elle vivait dans un « autre monde ». C'est évidemment l'improbable qui est arrivé. Barbara, je l'ai juste croisée. C'est à Juliette Gréco que je me suis liée. Quand je l'ai rencontrée, j'avais vingt-sept ans, elle, cinquante et un. Nous en avons trente de plus. J'étais un petit canard noir, très mal dans sa tête, alternant boulimie et régimes draconiens, angoissée plus que jamais d'avoir été engagée dans un grand journal. On devait faire une interview, elle et moi, pas pour mon journal, pour une pige que j'avais proposée. On a manqué des dizaines de rendez-vous, puis on s'est mises à se parler de choses et d'autres au téléphone. Un jour elle a décidé, « étant la plus adulte des deux », qu'il fallait cesser ce manège en pensant que, l'interview faite, on ne se reparlerait jamais. On allait faire cet entretien, et se revoir si on le souhaitait. Je suis venue la voir. On n'a pas fait l'interview mais on a commencé une conversation qui dure encore.

À l'adolescence, c'est pourtant à Brassens qu'allait mon enthousiasme absolu, peut-être parce que, lui, je l'avais déjà vu en scène, à Poitiers, dans un théâtre bondé, où j'avais payé pour rester debout. J'entendais là une révolte ironique et désinvolte qui m'emportait. Je ne percevais pas ce qui m'a déplu ensuite – banale misogynie, anticléricalisme rebattu. Je ne l'écoute plus mais, si je l'entends au hasard d'une radio, le charme demeure, musical et verbal, et cette voix chaleureuse... Toutefois il n'est plus qu'un souvenir de jeunesse. Tandis que Ferré... L'été 1967 était beau, j'étais sur la petite plage de mon enfance, Saint-Georges-de-Didonne, je venais d'avoir seize ans et j'avais désormais le droit de sortir le soir, « en boîte ». Premiers slows où l'on se serre de près. Léo Ferré chantait *C'est extra*... Inoubliable. Tout juste quarante ans plus tard, lors d'un été à la météo incertaine, je l'ai écouté, presque chaque jour, dans ma voiture. Bien sûr, « extra » ne se dit plus et les Moody Blues doivent l'essentiel de leur postérité à cette fille qui « tangue un air anglais ». Mais « une robe de cuir comme un fuseau, qu'aurait du chien sans l'faire exprès... » m'émeut comme hier. Ferré est mort. Ses chansons sont peut-être celles que désormais j'ai le plus de bonheur à entendre, chantées par lui ou par d'autres. *Jolie môme*, *Paris canaille* sont encore – *avec le temps* – au rendez-vous de la joie de vivre et des moments de mélancolie. Quand « le Rimmel fout le camp », c'est à jamais « le dégel des amants », les larmes des passions secrètes et interdites...

En découvrant Ferré et Brassens, j'ignorais qu'ils se disaient anarchistes, le sens du mot m'était d'ailleurs à peu près étranger. Le noir, avant même ma passion pour Barbara et Gréco, était ma couleur préférée de vêtements et non celle d'un drapeau. Mais je savais déjà où je ne voulais pas aller. J'étais bien décidée à n'en faire qu'à ma tête, à suivre mes désirs ou souhaits. À propos de souhait, quand on me demandait « ce que je voulais faire dans la vie », je répondais, à partir de cette quatrième au lycée Victor-Hugo de Poitiers : journaliste. Mes parents ne faisaient pas de commentaires, cela devait plutôt plaire à mon père, drogué de l'info. Les profs, eux, prenaient cela pour une lubie d'adolescente. Puis vient le moment où il faut vraiment choisir sa voie. On est alors confronté à un conseiller d'orientation. Un type qui pense savoir ce qui est bon pour vous. Le mien a immédiatement entrepris de me désorienter... Journaliste ? Tu n'y penses pas ! Tu es une fille, une provinciale, tes parents n'ont pas de relations, sois prof, ce serait déjà une belle promotion sociale ! Deux ans plus tard, un journaliste du *Figaro*, dont les parents habitaient Poitiers, me tiendrait à peu près le même langage. Je ne suis pas devenue journaliste par volonté de les contredire. J'avais, certes, envie de faire ce métier, mais ce n'était pas non plus une vocation quasi sacerdotale. Je me suis dit que j'allais tenter d'y arriver, tout en étant prête à faire bien autre chose. Il se trouve que j'y suis arrivée. Au hasard d'un reportage, j'ai à nouveau croisé ledit « orienteur ». Peu de temps après mon engagement au *Monde*, je déjeunais avec la directrice d'un lycée hôtelier de La Rochelle, que j'étais venue interviewer. L'orienteur était, avec d'autres hommes, à une table voisine. Je suis allée le voir pour lui rappeler qui j'étais, ce qu'il m'avait dit, et où je travaillais désormais. Il a fait un seul commentaire : « Avouez que, statistiquement, vous n'aviez aucune chance ! » Chaque fois que je parle dans des classes de lycée, je raconte cette anecdote, et qu'on ne décide pas d'un destin avec des statistiques. Je comprends vite que j'ai devant moi des filles et des garçons qu'on a aussi tenté de décourager et qui sont rassurés d'entendre un autre discours.

Depuis un certain temps, je ne vais plus voir de lycéens. Je ne voudrais pas abîmer leurs espoirs avec la fin de l'histoire.

4

La volonté de liberté

Le choix de ma liberté porte un nom : Simone de Beauvoir. Je crois qu'on était en troisième, j'avais quatorze ans. Marie, une fille de ma classe – pas vraiment une amie –, avait toujours un livre à la main et un autre, en attente, dans son cartable. Elle aimait en parler avec moi, tout comme Martine, l'autre lectrice compulsive – trop compulsive à mon goût, celle-ci. Elle lisait tout et n'importe quoi pour fuir le quotidien, et n'en faisait rien. Elle ne « retenait pas », comme aurait dit ma grand-mère. Je l'écoutais quand même, sans vraiment suivre ses enthousiasmes. J'ai pourtant englouti après elle des pages et des pages d'Hervé Bazin. Je me demande ce qui m'y plaisait, je me souviens vaguement d'un roman terrible pour les femmes, que je disais aimer, *Le Matrimoine*. Il paraît que des adolescents lisent toujours *Vipère au poing*. Moi, je n'ai retenu qu'Alice Sapritch interprétant une magnifique Folcoche à la télévision. Mais j'ai encore en mémoire *L'Huile sur le feu*, une histoire de pyromane, et *La Tête contre les murs*, un roman sur la folie et l'enfermement, me semble-t-il. Je n'irai pas le relire pour vérifier. Quant à Gilbert Cesbron, qui la bouleversait... j'ai oublié jusqu'aux titres de ses romans.

Les lectures de Marie, en revanche, excitaient ma curiosité. D'abord, les livres qu'elle me prêtait lui appartenaient, ce qui avait son importance. Son père était prof à la fac, sa mère, au lycée. J'aimais voir, en lisant, ce qu'elle ou ses parents avaient souligné, les pages qui avaient été cornées. Ses livres étaient vivants, non seulement par leur contenu, mais par les lecteurs qui y avaient laissé une trace, un indice d'intérêt pour tel ou tel passage, dont je cherchais à percer le sens. Tandis que les livres de la bibliothèque du lycée, que Martine avalait en boulimique, étaient juste usés d'avoir trop servi, Marie, elle, achetait. Plutôt des éditions de poche, comme j'allais le faire à sa suite. Mais quand elle piochait dans la bibliothèque de ses parents, elle y prenait des éditions courantes. Grâce à elle j'ai commencé à rêver sur la couverture blanche de Gallimard.

Un jour, elle me demanda si j'avais lu Simone de Beauvoir. Non, je n'avais rien lu et je savais à peine qui elle était. Je connaissais son nom pour l'avoir entendu prononcer avec dégoût, ainsi que celui de Sartre, par une prof de français, conventionnelle et aigrie. Elles étaient légion, dans ce lycée de filles. Je m'étonne quand on me raconte que l'enseignement secondaire de ces années-là était noyauté par le Parti communiste. À Poitiers, dans mon lycée, c'était plutôt par les grenouilles de bénitier. Et à droite toute !

« C'est passionnant, m'avait dit Marie... Je le finis et je te le passe. » Le titre, *Mémoires d'une jeune fille rangée*, ne séduisait guère l'adolescente rebelle que j'étais. Je n'ai appris que bien plus tard l'allusion à Tristan Bernard, à *Mémoires d'un jeune homme rangé*. J'ai tout de suite entendu, confusément d'abord, que Beauvoir m'invitait à ne pas me « ranger », à ne pas consentir à l'itinéraire que ma naissance, mon milieu social, semblaient me destiner, mais au contraire à choisir ma vie, à me choisir et à être entièrement, et seule, responsable de mes choix. Alors j'ai voulu tout lire d'elle, les romans, les mémoires, les essais, tenter de comprendre ce que cette femme écrivait, et qui m'apparaissait capital. Ces *Mémoires d'une jeune fille rangée* voulant cesser de l'être n'étaient que le premier tome d'un cycle autobiographique dont Beauvoir avait déjà publié trois volumes, m'avait précisé Marie en attaquant *La Force de l'âge*, une période qui nous semblait encore bien lointaine. Les *Mémoires* à peine refermés, direction la bibliothèque pour emprunter *La Force de l'âge*, sans attendre que Marie me prête son exemplaire. Dans les trente premières pages, j'ai découvert, et immédiatement recopié, d'une écriture encore appliquée de bonne élève, ceci : « Je n'avais pas été une petite fille particulièrement gâtée ; mais les circonstances avaient favorisé en moi l'éclosion d'une multitude de désirs ; mes études, ma vie de famille m'obligèrent à les juguler ; ils n'en explosèrent qu'avec plus de violence et rien ne me sembla plus urgent que de les apaiser. C'était une entreprise de longue haleine, à laquelle, pendant des années, je me donnai sans réserve. Dans toute mon existence, je n'ai rencontré personne qui fût aussi doué que moi pour le bonheur, personne non plus qui s'y acharnât avec tant d'opiniâtreté. Dès que je l'eus touché, il devint mon unique affaire. » Et encore : « Il n'était pas seulement cette effervescence dans mon cœur : il me livrait, pensais-je, la vérité de mon existence et du monde. Cette vérité, j'exigeais plus passionnément que jamais de la posséder ; le moment était venu de confronter les choses en chair et en os avec les images, les fantasmes, les mots qui m'avaient servi à anticiper leur présence. »

« Douée pour le bonheur »... C'est ce que je devais être. Refuser la plainte, le goût du malheur que je voyais autour de moi chez les femmes, et même déjà chez les filles de mon âge. « Dès que je l'eus touché », ce bonheur, « il devint mon unique affaire ». Ces mots m'étaient destinés, et cette femme née quarante-trois ans avant moi, à Paris, dans un milieu totalement étranger au mien, me montrait le chemin. Ainsi, rien n'était fatal, nulle obligation de « reproduire », aucun « destin », aucun état de nature n'imposait aux femmes de laver la vaisselle et le linge, de faire la cuisine et des enfants, de ne travailler à l'extérieur que pour fournir un salaire d'appoint au couple, ce qui, en prime, ne dispensait en rien des tâches ménagères. Elle infirmait ce que j'avais entendu ressasser par les grand-mères : les femmes ne sont pas « complètes » si elles n'enfantent pas, elles sont nées pour accoucher dans la douleur, se dévouer à leur mari et leur famille, pour accompagner les malades et les mourants...

Beauvoir, au contraire, affirmait qu'on peut s'arracher à son milieu, en particulier par le savoir. Quand elle était jeune, dans les années 1920, il était incongru qu'une femme veuille faire des études de philosophie, et prétende à l'agrégation. Elle l'avait fait. Ce qu'elle décrivait justifiait ma passion pour la réussite scolaire. Apprendre lui avait été indispensable pour lutter contre l'aliénation des femmes au début du XXe siècle. Apprendre m'était indispensable pour échapper à l'existence que me promettaient le conseiller d'orientation et les pesanteurs sociales, et pour choisir. Pour choisir, il fallait savoir, se forger les outils d'une réflexion affranchie des stéréotypes. Alors, on pouvait tenter de penser sa liberté, et s'y tenir, quel qu'en soit le prix. Je sais aujourd'hui qu'il peut être assez élevé, ce prix. La pensée, le savoir étaient donc gage de contrôle. Et je voulais contrôler ma vie et non la subir. Je l'ai fait pendant longtemps. J'ai cru que c'était à jamais gagné. Je n'imaginais ni les deuils ni les défaites. Malgré les humiliations sociales, que je mettais vite de côté, je me sentais, comme Beauvoir, douée pour le bonheur. Depuis, ma « volonté de volonté », comme en plaisante un de mes amis, a subi de sérieux revers. Mais la leçon de Beauvoir reste pour moi intacte. C'est pourquoi, au début de janvier 2008, comme on célébrait, dans un colloque, le centenaire de Beauvoir, née le 9 janvier 1908, je fus sidérée d'entendre Annie Ernaux, écrivain que j'admire, expliquer qu'en lisant Beauvoir elle avait senti qu'elles n'étaient pas « du même monde ». Il n'y avait rien de commun non plus entre la petite provinciale du lycée de Poitiers et l'élève Simone Bertrand de Beauvoir, élève au cours Desir, mais cela n'altérait en rien ce qu'elle disait sur la nécessité de penser et de choisir, où qu'on soit et d'où qu'on vienne. Je fus encore plus étonnée, quelques semaines plus tard, en lisant *Les Années*, de la même Annie Ernaux, cette étrange autobiographie où un écrivain semble nier la prééminence de son œuvre sur sa vie quotidienne, vouloir mettre ses livres au second plan et s'effacer derrière une époque. En évoquant les années 1960, Ernaux écrit : « Avoir lu Simone de Beauvoir ne servait rien qu'à vérifier le malheur d'avoir un utérus. » À moi, elle a appris que je n'étais pas seulement un utérus, et qu'il n'y avait aucune fatalité malheureuse à en avoir un. À croire qu'Annie Ernaux et moi n'avions pas lu les mêmes phrases. Il y a plus de vingt ans, quand j'ai découvert son très beau récit, *La Place*, j'ai pourtant revu certaines scènes pénibles de mon enfance, le café de ma grand-mère paternelle, uniquement fréquenté par des hommes qui jugeaient encore inutile d'envoyer les filles à l'école, et ridicule cette grand-mère présentant fièrement sa petite-fille comme « première de la classe ». Ils parlaient trop fort, ils faisaient des plaisanteries que je ne comprenais pas mais que je sentais salaces. Ils se plaignaient d'être servis dans des « verres de voleur ». Cela m'intriguait. Ce sont des verres à pied coniques, de toutes tailles. Le bas du cône est très épais. Ainsi, un verre plein contient beaucoup moins de liquide qu'il n'y paraît. Quand ma grand-mère est morte, j'en ai retrouvé quelques-uns, je les utilise, je les aime, ces verres tricheurs. J'ai oublié les hommes qui les vidaient, cul sec. Et qui ont sans doute nourri ma méfiance à l'égard du « premier sexe ».

J'étais déjà en quête de *La Force des choses*

tandis que Marie semblait peiner sur le volume précédent. Je lisais sans aucun recul, j'étais d'accord sur tout, je rêvais de ressembler à la femme qui me parlait. Marie, elle, lisait Beauvoir avec lenteur, avec une certaine distance. Elle se posait des questions que je jugeais absurdes, conventionnelles, inopportunes. Beauvoir avait-elle vraiment raison de refuser le mariage ? Est-ce qu'une femme ne devait pas, absolument, avoir des enfants, pour, en effet, « être complète » ? N'était-ce pas son seul lieu de supériorité sur les hommes, « donner la vie » ? Je constate que ce propos est revenu à la mode. Toutes ces femmes, intellectuelles, parfois même tenues pour féministes ou autoproclamées telles, me fatiguent avec leur maternalisme frénétique. J'ai l'impression de réentendre ma grand-mère, et peut-être même mon arrière-grand-mère. Non que je réprouve le choix d'avoir des enfants, je n'ai pas fanatiquement tenu à ne pas en avoir, j'ai même failli fugitivement en souhaiter, avec un homme qui n'en voulait pas. C'est un choix parmi d'autres, rien de plus. Ce retour de l'idée d'une obligation de maternité correspond malheureusement très bien à la régression générale.

On n'en était pas encore là quand je découvrais Beauvoir, au contraire. Marie m'avait aussi parlé d'un autre de ses livres sur les femmes, *Le Deuxième Sexe.* « Mais, ajoutait-elle, il paraît que nous sommes trop jeunes pour le lire. C'est très choquant, elle dit qu'il ne faut pas avoir d'enfants, et qu'on ne naît pas femme... » On ne naît pas femme... Qu'est-ce que cela pouvait bien vouloir dire ? Qu'on n'est pas condamnée à être une femme ? Mais je n'avais jamais voulu être un garçon ! Cela ne m'aurait plu ni physiquement, ni pour ce que je voyais, déjà, de leur comportement. Marie pensait que Beauvoir ne voulait pas être une femme. Même avant d'avoir lu ce sulfureux *Deuxième Sexe*, je n'y croyais pas. On comprend bien, dès le récit de son enfance, qu'elle a refusé d'être née inférieure, contrairement à ce que chacun, y compris sa propre mère, prétendait. Qui donc prévenait Marie contre Beauvoir ? Peut-être sa mère... Je n'ai pas, à l'époque, cherché à le savoir, j'y ai repensé longtemps après. Cette femme s'était mariée sur le tard, avec un homme dont elle était la seconde épouse, précisément pour avoir des enfants. En ce temps-là, on envisageait rarement de faire ses enfants, du moins les premiers, autour de la quarantaine. On sentait qu'il y avait un malaise, chez la mère comme chez sa fille, sur le sujet. Donc je n'en parlais jamais. Mais personne ne m'empêcherait de lire tout de suite *Le Deuxième Sexe*. Il y a un avantage à avoir des parents aimants, libéraux, mais pas intellectuels. Ils étaient heureux que je lise passionnément et ne contrôlaient pas mes lectures, sur lesquelles ils n'avaient guère d'opinion. J'aurais préféré acheter les livres de Beauvoir, pour les annoter, mais ce n'était pas possible. Alors, tant pis pour les annotations, je relèverais des citations sur un cahier à part.

J'ai tout relu en poche, quelques années plus tard, et j'ai conservé mes vieux Folio, soulignés et cornés. Chaque fois que je veux citer Beauvoir dans un article, je suis obligée, pour donner la bonne référence, de me reporter au catalogue de Folio, car non seulement les couvertures ont changé – elles sont beaucoup plus belles – mais, parfois, également le numéro des volumes. Quant au *Deuxième Sexe*, j'ai aussi une édition originale du premier tome, de 1949, alors que le second n'avait pas encore paru. Avec une reliure en cuir noir. Une amie me l'a offerte. Elle l'a achetée dans un vide-grenier du tout petit village d'Arceau, sur l'île d'Oléron. Pour cinq euros... Dans les années 1950, il y avait peu de touristes ou de résidences secondaires sur l'île. J'ai beaucoup rêvé autour de l'inconnue qui, à l'époque, avait voulu ce livre, et l'avait aimé au point de le faire relier...

J'avais été particulièrement impressionnée par la fin de *La Force des choses*, cet épilogue où la battante que je voyais comme un modèle de perfection et d'accomplissement de soi prend conscience de son âge. « Mais aussitôt quittée ma table de travail, le temps écoulé se rassemble derrière moi [...]. Ce monsieur chenu, qui ressemble à un de mes grands-oncles, me dit en souriant que nous avons joué ensemble au Luxembourg. "Vous me rappelez ma mère", me dit une femme d'une trentaine d'années. À tous les tournants, la vérité me saute dessus et je comprends mal par quelle ruse c'est du dehors qu'elle m'atteint, alors qu'elle m'habite. [...] Oui, le moment est arrivé de dire : jamais plus ! Ce n'est pas moi qui me détache de mes anciens bonheurs, ce sont eux qui se détachent de moi : les chemins de montagne se refusent à mes pieds. Jamais plus je ne m'écroulerai, grisée de fatigue, dans l'odeur du foin ; jamais plus je ne glisserai solitaire sur la neige des matins. Jamais plus un homme. » Et cette fameuse conclusion, que, plus tard, j'entendrai commenter à tort et à travers : « Je revois la haie de noisetiers que le vent bousculait et les promesses dont j'affolais mon cœur quand je contemplais cette mine d'or à mes pieds, toute une vie à vivre. Elles ont été tenues. Cependant, tournant un regard incrédule vers cette crédule adolescente, je mesure avec stupeur à quel point j'ai été flouée. » « Flouée », j'ignorais le sens exact du mot, je le sentais négatif, je préférais donc m'accrocher aux promesses tenues. Mais surtout me heurtait ce sentiment de vieillesse dont parlait Beauvoir. Ma propre vieillesse me semblait irréelle, celle de Beauvoir aussi. Elle ne pouvait pas être vieille. Elle, si douée pour le bonheur, ne pouvait qu'avancer, conquérir, et ne jamais éprouver les fatigues du temps qui passe.

Il m'a fallu près de quarante ans pour vraiment lire, entendre, comprendre cet épilogue de *La Force des choses*. Je parle quotidiennement avec des hommes et des femmes qui ont la moitié de mon âge. Certains, je les ai formés, professionnellement. Mais je ne sens pas la distance : ce sont, aurait dit Beauvoir, mes contemporains. Soudain je constate que leurs parents sont nés la même année que moi. Contrairement à Beauvoir, je ne vais pas me mettre devant la glace pour constater l'étendue du désastre. Et, comme beaucoup de femmes désormais, j'ai utilisé quelques stratagèmes pour tenter, un peu vainement, de retarder la débâcle. Pourtant, comme Beauvoir, j'ai un sentiment d'incrédulité. Lorsqu'on a des enfants, peut-être est-on, en les regardant grandir et eux-mêmes vieillir, préservé de cet oubli de l'âge... Je ne sais pas, je n'en ai pas. Beauvoir n'en avait pas non plus.

Me voilà donc attelée à la lecture systématique, obsessionnelle, de Beauvoir. *L'Invitée* n'était pas mon préféré, mais *Les Mandarins* me passionnaient. J'y voyais, déjà, un aboutissement. Un texte de liberté aussi fort que les *Mémoires*. Plus tard, adulte, j'ai pensé que les *Mémoires* étaient bien supérieurs, que Beauvoir était la chroniqueuse indépassable d'un moment du XXe siècle et de la place des intellectuels engagés dans cette histoire. Aujourd'hui, je reviens aussi du côté des *Mandarins.* En ce temps-là, à Poitiers, la bibliothécaire, qui ne se posait probablement pas ces questions, n'avait pas l'air d'approuver mes lectures. Elle ne m'a cependant pas empêchée d'emprunter les deux gros volumes du *Deuxième Sexe*. J'ai lu, lentement cette fois, et je ne pense pas avoir vraiment compris ce que je lisais. Dans cette première approche, je suis restée à la surface. Je recevais des informations, mais comme à distance. Une fois de plus, Beauvoir s'affirmait avec sa lucidité, son analyse implacable. J'ai soigneusement recopié – et je la recopierai chaque année de lycée, sur les cahiers et classeurs, un peu puérilement – cette phrase de la préface : « Si la question des femmes est si oiseuse, c'est que l'arrogance masculine en a fait une querelle. » Mais tout cela me dépassait encore. Il m'a fallu attendre que viennent Mai 68, puis les débuts d'un renouveau féministe, pour relire ce long et grand texte, et me rendre compte qu'une fois de plus j'épousais cette pensée. J'étais très hostile, et le suis aujourd'hui plus encore, à une des tendances du féminisme qu'on appelle « différentialiste ». J'y entends : « Femme, parle, la vérité sort de ta bouche, affiche ta différence, notamment par la maternité. » Chez Beauvoir, j'entendais plutôt: « Femme, tu es aliénée, tu l'acceptes, tu prends le pouvoir en jouant les victimes, il serait temps de penser autrement. » Inutile, comme le font certaines, de rappeler les naïvetés de ce livre publié en 1949, avec sa croyance aux lendemains qui chantent et qui, d'eux-mêmes, libéreraient les femmes. Beauvoir, avec son honnêteté inflexible, a dit elle-même ce qu'il fallait en penser et comment, avec le temps, elle avait révisé ce jugement-là.

J'étais encore bien loin de comprendre sa pensée, mais je n'avais plus envie de parler de ma lecture de Beauvoir avec Marie, ce qu'elle en pensait ne m'intéressait plus, je ne voulais pas qu'on me dise de douter, de prendre des distances. Moi qui détestais déjà le mot « adhérer », soudain je le mettais en pratique. Il n'y avait toutefois là rien de sentimental, de gluant, ce n'était ni le genre de Beauvoir, à la lire, ni le mien. Rien de magique non plus, Beauvoir n'était pas un chef de secte, ses livres n'étaient pas des talismans. C'était une leçon de vie, non à apprendre bêtement par cœur, pour reproduire, mais à méditer, pour comprendre et se choisir. Aujourd'hui, les niais qui se sont imaginé que Sartre et Beauvoir voulaient se donner en exemple, que leur manière de vivre était un modèle à suivre, nous expliquent qu'ils se sont trompés, et que ces gens-là, finalement, ont joué avec les autres, et se sont joués d'eux... D'abord, pour jouer, il faut être plusieurs. Si on entre dans le jeu et si on perd, inutile alors d'accuser les autres, qui se seraient tout à fait passés de tel ou tel joueur. Certes, ces deux-là se sont parfois montrés inconséquents, mais Beauvoir ne l'a pas caché, ses lettres à Sartre en témoignent. Ensuite, où a-t-on vu que Sartre et Beauvoir prétendaient faire école ? J'attends toujours qu'on me le montre. Comme j'aimerais entendre ces femmes si certaines d'avoir « dépassé Beauvoir » m'expliquer ce qu'elles ont retenu de sa pensée pour estimer l'avoir dépassée. Je n'ai encore rien lu de très convaincant.

Dans *La Force de l'âge*, j'avais découvert un personnage qui m'avait beaucoup intriguée, André Malraux, dont Beauvoir et Sartre avaient lu *L'Espoir* « avec une passion qui débordait de loin la littérature. Il nous était proche, par sa prédilection pour l'Apocalypse, par la façon dont il ressentait la contradiction entre l'enthousiasme et la discipline ». Malraux, jusque-là, n'était pour moi que le ministre de la Culture du général de Gaulle, un homme à la voix curieusement tremblante et déclamatoire à la fois, un drôle de type. Mais il était bien autre chose. Un écrivain protéiforme, qui s'était jeté dans tous les combats et les aventures du siècle. Je l'ai lu avec passion, d'abord les « classiques », *La Condition humaine* et *L'Espoir*, puis tout ce qui paraissait, jusqu'à sa mort, en 1977. Même si de Gaulle ou Picasso n'ont pas tenu à la lettre les propos qu'il leur prête, dans *Les Chênes qu'on abat...* et *La Tête d'obsidienne*, il invente juste, il a l'oreille. Je ne sais ce que j'en penserais aujourd'hui, je ne suis pas retournée depuis bien longtemps à Malraux, pas même à ses *Antimémoires*, mais je reste ferme sur mon souvenir malgré le dédain de certains de mes amis à son égard. Il est de bon ton de se gausser du fameux discours enflammé, prononcé pour le transfert des cendres de Jean Moulin au Panthéon. « Entre ici, Jean Moulin, avec ton terrible cortège. Avec ceux qui sont morts dans les caves sans avoir parlé, comme toi ; et même, ce qui est peut-être plus atroce, en ayant parlé ; avec tous les rayés et tous les tondus des camps de concentration, avec le dernier corps trébuchant des affreuses files de Nuit et Brouillard, enfin tombé sous les crosses ; avec les huit mille Françaises qui ne sont pas revenues des bagnes, avec la dernière femme morte à Ravensbrück pour avoir donné asile à l'un des nôtres. Entre, avec le peuple né de l'ombre et disparu avec elle – nos frères dans l'ordre de la Nuit. » De cette grandiloquence exaltée, je n'ai nulle envie de rire, j'éprouve une certaine émotion, je m'en sens proche. Je n'ai jamais oublié cette série d'émissions, « Malraux, la légende du siècle », où il revisitait son parcours, plusieurs heures durant, interrogé par le réalisateur, Claude Santelli, et une femme que je n'identifiais pas alors, avec qui je serais amie plus tard, Françoise Verny. Bien sûr, il était lyrique, il posait un peu, avec cette voix étrange, ce ton qu'on pouvait sans doute entendre comme ridicule, le visage secoué de tics, violents et parfois très rapprochés. Il parlait de mondes qui m'étaient étrangers, il était lui aussi une figure de l'ailleurs. Les aventures de jeunesse, la Chine, l'art, qui, pour lui, est toujours au présent, l'engagement, l'Espagne, la Seconde Guerre mondiale, la politique, de Gaulle figure héroïque, qu'il avait envie de servir…

La voix… Est-ce elle qui m'a menée vers Marguerite Yourcenar ? En tout cas, personne ne m'a guidée, Marguerite Yourcenar est venue à moi toute seule, ou, plus exactement, je suis allée vers elle toute seule, sans conseil, sans recommandation. J'avais entendu une de mes profs vanter le style d'une femme portant ce nom bizarre, qui, disait-elle, écrivait comme un homme, vivait dans une île lointaine, en Amérique, et avait publié, en 1951, l'année de ma naissance, un gros roman historique, *Mémoires d'Hadrien*, devenu un classique. Quelque chose qu'on devrait absolument lire si, justement, on faisait des études classiques. Bref, tout ce qu'il fallait pour me détourner, à la bibliothèque, du rayon Yourcenar. Je n'aimais pas les romans historiques, et moins encore qu'on me dise ce qu'il fallait absolument lire, et ne pas lire – Simone de Beauvoir étant souvent mentionnée, dans cette liste, comme une lecture inutile, voire pernicieuse. Seule l'île lointaine avait retenu mon attention. Pas au point de chercher à savoir quelle île. Mais le mot « île » était déjà pour moi une sorte de sésame, je n'ai jamais su pourquoi et ne le sais toujours pas.

En mai 68, je n'ai pas entendu mentionner la publication du nouveau livre de Yourcenar. Le moment était mal choisi : on avait autre chose à faire que de s'occuper de littérature – du moins le croyait-on –, et les journalistes aussi. Elle s'en est amusée, comme elle se réjouissait de la « contestation étudiante » et de voir Paris, où elle était venue pour la sortie de son livre, paralysé. Elle trouvait plaisant de se rendre à pied chez ses amis, qui, pour la plupart, désapprouvaient violemment son indulgence et s'inquiétaient de la situation. À l'automne, quand elle a obtenu le prix Femina à l'unanimité, pour *L'Œuvre au Noir*, elle était de nouveau à Paris. Parlait à la radio, apparaissait fugitivement à la télévision. Ce sont ses propos et ses apparitions qui m'ont donné envie de la lire. Cette voix, à la mélodie si particulière, unique, à l'accent non identifiable, mais aussi cet œil bleu moqueur, cette bouche gourmande, et cette hauteur, légèrement condescendante, et pourtant bienveillante. Voilà une femme qui s'était laissée vieillir, mais avait dû être la séduction même. Avait aimé – et aimait toujours – charmer et intriguer. Elle ne pouvait pas avoir écrit un banal roman historique. Il convenait d'y aller voir. Et d'abord, cette *Œuvre au Noir*, dont, n'ayant aucune notion d'alchimie, je ne comprenais même pas le titre. On était au XVIe siècle, mais pas du tout dans un roman historique. Ce Zénon ne m'était pas étranger. Il cherchait à être libre dans un monde qui ne l'était pas. Il n'était pas conforme – et la société refusait sa singularité. Il devait mourir. Il ne lui restait qu'une ultime liberté, se tuer, la nuit précédant son exécution. J'ai retrouvé des années après, quand j'ai travaillé à la biographie de Yourcenar, le texte que j'avais recopié, avec mon écriture plus tout à fait enfantine, mais beaucoup plus lisible qu'elle ne l'est devenue : « L'immense rumeur de la vie en fuite continuait : une fontaine à Eyoub, le ruissellement d'une source sortant de terre à Vaucluse en Provence, un torrent entre Östersund et Frösö se pensèrent en lui sans qu'il eût besoin de se rappeler leurs noms. [...] Il ne voyait plus, mais les bruits extérieurs l'atteignaient encore [...] toute angoisse avait cessé : il était libre ; cet homme qui venait à lui ne pouvait être qu'un ami. Il fit ou crut faire un effort pour se lever, sans bien savoir s'il était secouru ou si au contraire il portait secours. Le grincement des clefs tournées et des verrous repoussés ne fut plus pour lui qu'un bruit suraigu de porte qui s'ouvre. Et c'est aussi loin qu'on peut aller dans la fin de Zénon. »

J'ai eu la curiosité, enfin, d'ouvrir *Mémoires d'Hadrien*. Rien à voir avec ce que suggérait la prof incitant à le lire. Une histoire d'amour et de pouvoir, de séduction, de politique, de vieillesse. Je ne savais pas le formuler, mais, déjà, la sensualité de Yourcenar, sa réappropriation, à la première personne, du personnage, débordaient ce que je percevais comme « roman historique », un récit fait de l'extérieur. Le véritable Hadrien avait vécu bien des siècles auparavant, mais celui de Yourcenar était d'aujourd'hui, et de toujours. Il aimait la « volupté », il avait rêvé d'« élaborer un système de connaissance humaine basé sur l'érotique, une théorie du contact, où le mystère et la dignité d'autrui consisteraient précisément à offrir au Moi ce point d'appui d'un autre monde ». Et lui aussi voulait « entrer dans la mort les yeux ouverts ». Mais moi, est-ce que je comprenais vraiment ce que je recopiais avec une sorte d'emportement ?

Était-il paradoxal d'aimer à la fois Beauvoir et Yourcenar, qui n'avaient probablement aucune envie de se connaître, que tout opposait ? Je ne le crois pas. Je n'aurais pas su analyser pourquoi l'une et l'autre me rassuraient, me confortaient dans ma décision de ne pas aller où l'on voulait m'emmener – en gros, dans une classe de collège ou de lycée, pour enseigner le français. Non que j'aie du dédain pour l'enseignement, bien au contraire. M'indigne le peu de reconnaissance, notamment financière, qu'on porte aujourd'hui à cette fonction, à laquelle, je le répète et je m'y tiens, je dois beaucoup, même si j'ai passé ma scolarité à résister au « râtelier universitaire », comme dit Rimbaud. Mais ce n'était pas ma pente, j'y voyais – à tort – quelque chose de statique et de répétitif, et je voulais du mouvement, de l'inconnu, du changeant. C'est ce que Beauvoir me faisait entrevoir : on est libre de ne consentir à aucun stéréotype, quoi qu'on vous en dise. Yourcenar aussi me parlait de liberté, mais d'une autre liberté. Partout, même face au totalitarisme qu'affronte Zénon, même au fond d'une cellule, on peut, en soi, trouver un espace de liberté. Y compris en choisissant de mourir, de sa propre main, pour éviter de subir le sort que la société vous impose.

Longtemps après, quand Beauvoir est morte, en 1986, j'ai entendu et lu que celles qui, comme moi, se réclamaient de sa pensée avaient perdu une « mère ». Je crois profondément que même les femmes qui ignorent ou rejettent Beauvoir lui doivent quelque chose. En faire pour autant une figure de mère est ridicule. Non parce qu'elle n'a pas été mère elle-même, mais parce que rien, dans son propos, ne relève d'une maternité symbolique, d'une idée d'enfantement d'une « femme nouvelle ». Elle ne prêche pas, elle ne conseille pas, elle analyse. « Pourtant, tu devais bien chercher une mère, à être ainsi fascinée par les femmes plus âgées que toi », se moquent certains, ne reculant pas devant la psychanalyse de bazar. Je ne vais pas m'allonger sur le divan pour le savoir, c'est trop tard, mais je ne le pense pas. Beauvoir ?... Peut-être une grande sœur un peu incestueuse... Quant à Yourcenar, l'imaginer en mère, donnant le biberon ou poussant un landau au Luxembourg, confine à la loufoquerie. Il est plus vraisemblable de l'habiller en toge et de voir en elle la réincarnation d'un empereur romain. Et il ne s'agit pas seulement de penser aux gestes de la maternité réelle. Rien chez elle, pas plus que chez Beauvoir, ne me renvoyait à une quelconque dépendance « filiale », mais au contraire à la découverte d'une liberté singulière, à penser par soi-même.

Si je suis incertaine de mon opinion d'aujourd'hui sur Malraux, je n'ai pas varié sur Beauvoir. Ni sur Yourcenar, souvent dénigrée. En particulier par les adeptes de Julien Gracq, qui, du vivant même de Claude Simon et quelques autres, le qualifiaient de « plus grand écrivain vivant ». Opposer Gracq, majeur, et Yourcenar, mineure, m'a toujours paru erroné. Comme les classer, l'un ou l'autre, au tout premier rang des auteurs du

XXe siècle. Ce sont de très bons écrivains, et on peut, selon son goût, préférer l'un ou l'autre sans pour autant en faire des génies. Gracq ne m'a jamais fait rêver, mais j'ai naguère aimé sa littérature. Désormais *Le Rivage des Syrtes* me tombe des mains, pour ne rien dire d'*Au château d'Argol*. Je sauve *Un balcon en forêt*, et *En lisant, en écrivant*. Cette idée, en vogue chez les critiques actuels, que leurs goûts personnels seraient le seul critère d'évaluation de la littérature est le propre d'une époque paresseuse, pour ne pas dire veule, qui n'a plus aucun jugement. C'est désolant. Un de mes amis, écrivain, qui n'a pas de goût pour la littérature de Yourcenar, tout en la trouvant « métaphysiquement beaucoup plus intéressante que Gracq », déplore toujours qu'elle « ne soit jamais arrivée au XXe siècle ». Il se trompe, *Denier du rêve* se passe dans l'Italie de l'entre-deux-guerres – il est vrai que ce n'est pas son meilleur livre. Et il a raison car le contemporain n'était pas pour Yourcenar un enjeu. On dirait qu'elle croyait, à tort, que pour être universel il fallait se détourner de son temps. Absolue divergence avec Beauvoir, immergée dans son époque, et pourtant tout aussi universelle, des *Mandarins* aux *Mémoires*, journaux et lettres, documents qu'on n'estime pas encore à leur juste valeur : trop de gens ont toujours, plus de vingt ans après sa mort, des comptes à régler avec Beauvoir.

Quand je rêvassais dans la cour du lycée, l'air boudeur et les mains dans les poches de ma blouse beige – le Nylon, horrible, grinçant, un peu brillant, désagréable au toucher, avait remplacé le coton –, je rêvais de rencontrer un jour Beauvoir et Yourcenar, Beauvoir surtout. J'avais presque honte d'être à ce point irréaliste. J'ai gardé une part d'incrédulité quand je fus amenée à croiser Beauvoir et à connaître un peu Yourcenar. Beauvoir, je l'ai d'abord beaucoup vue, de loin, dans des manifestations féministes. Et dans la rue, car j'ai habité, un an, rue Froidevaux, presque à l'angle de la rue Schoelcher, où elle avait son appartement. Quand je la croisais, je me refusais à me précipiter vers elle pour lui dire : « Madame, vous avez changé ma vie. » Je me contentais de le penser. J'ai attendu de pouvoir lui parler pour des raisons professionnelles. Deux fois.

En 1983, *Le Monde* voulait faire un entretien avec elle, pour l'annuelle Journée des femmes – redevenue, chaque année, dans la bouche des journalistes, hommes et femmes, Journée de *la* femme... On croyait pourtant s'être suffisamment battues pour en finir avec *la* femme, l'éternel féminin, la nature féminine et autres stupidités. Ça aussi, c'était raté. Avec Beauvoir, c'était bien *des* femmes qu'il s'agissait de parler. J'étais terrifiée en sonnant chez elle. Heureusement, j'étais avec une consœur, très détendue, qui arrivait là sans aucun bagage encombrant. Moi j'avais presque vingt ans de familiarité, de proximité, avec cette personne qui ignorait mon visage et mon nom. Je reconnaissais le décor, certains objets de cet appartement que, pourtant, je n'avais jamais vu. J'étais dans un lieu presque familier, et, sur le canapé, je me faisais toute petite pour ne pas heurter le fantôme de Sartre. J'ai cependant mené mon interview qu'elle a souhaité relire. Elle en a été satisfaite, n'a rien corrigé, un mot peut-être. Quand elle m'a appelée pour me dire que c'était « du bon travail », avec sa voix peu agréable, trop coupante et brève, « de maîtresse de piano », plaisantait mon ami Bertrand Poirot-Delpech, j'étais flattée, fière de son approbation, mais je voulais absolument trouver un moyen de la revoir. Accepterait-elle un nouvel entretien à propos des *Temps modernes*, de l'évolution de la revue, de son rôle depuis la mort de Sartre ? Elle était d'accord. Elle souhaitait que je prenne rendez-vous avec Claude Lanzmann. Quant à elle, elle demanderait à Pouillon de se joindre à nous. De fait, quand j'arrive dans son studio de la rue Schoelcher, Pouillon est déjà là. Il m'explique la genèse de ses liens avec la revue, me parle du passé, puis s'en va. Je reste avec Beauvoir, et un tas de questions. Quand même, le sujet s'épuise, mais je tente de rebondir pour ne pas partir. Sans agressivité, mais toujours avec sa voix sèche, elle finit par me dire : « Ne croyez-vous pas que nous avons fait le tour de la question ? » Là, je ne peux pas mentir : « Depuis un certain temps... Mais je n'avais pas envie de partir. – Idiote, vous ne pouviez pas le dire, simplement ? » Et elle est allée chercher une bouteille de vodka. J'ai évoqué ma longue familiarité avec ses livres, mais je n'ai pas osé lui dire l'importance capitale qu'ils avaient eue pour moi – elle aurait pu juger cela excessif, en être embarrassée. Je suis restée assez sobre, n'ayant, de toute manière, pas plus de penchant qu'elle au lyrisme ou à l'effusion. Je pensais bien inventer un autre stratagème pour la revoir. Mais un après-midi d'avril 1986, je roulais avenue de l'Opéra, venant de la rue des Italiens où se trouvaient les locaux du *Monde*. J'écoutais la radio, on a annoncé sa mort. Avant de m'autoriser à pleurer, j'ai fait demi-tour et je suis retournée au journal. J'ai passé une mauvaise nuit. Comment « enterrer Beauvoir », écrire sa nécrologie ? Il a pourtant fallu le faire. Et, après une nuit sans sommeil et un bizarre et indéfinissable chagrin, j'ai apporté mon papier. Et j'ai vu avec stupeur un rédacteur en chef le titrer : « Notre mère à toutes ». Dans mon journal, au-dessus d'un article que j'avais écrit, ces mots ineptes. Je me suis retenue de l'insulter, sa fonction ne m'y autorisait pas. J'ai tenté de lui expliquer que c'était le pire des contresens. Certes, j'avais sottement écrit le mot « orphelines », parlé de « mère symbolique », mais tout le reste du texte révoquait ce titre. Revendiquer l'héritage de Beauvoir n'a rien à voir avec une quelconque démarche « filiale », fondée sur la certitude qu'il n'y a de reproduction qu'à l'identique, mais, au contraire, tout avec la découverte que la liberté commence avec l'exercice d'une pensée autre, donc d'une autre manière d'envisager sa vie. Rien à faire. Et je n'avais pas, à l'époque, l'autorité pour imposer un titre différent. Quand le journal est sorti, j'avais honte. Décidément certains hommes seraient à jamais inaptes à saisir la singularité de cette femme. J'ai récemment appris, à l'occasion du centenaire de Beauvoir, qu'il était arrivé une mésaventure presque identique à Élisabeth Badinter. Elle avait envoyé un article au *Nouvel Observateur*, titré « Femmes, vous lui devez tant ». En ouvrant le journal, elle a lu « Femmes, vous lui devez tout ». On a aussi eu droit, dans *Libération*, à l'hommage nécrologique très particulier d'Antoinette Fouque, animatrice du mouvement Psychanalyse et Politique, et ennemie radicale des thèses de Beauvoir, fustigeant son « universalisme intolérant » et estimant que sa mort allait « peut-être accélérer l'entrée des femmes dans le XXIe siècle ». Au fond, tout cela n'est pas si grave, Beauvoir en a vu d'autres. Moi aussi, depuis. Et elle m'a, une fois de plus, donné les moyens de mettre à distance les agressions, et d'y survivre. Il m'a pourtant fallu un certain temps pour comprendre que, si l'on affirme avec elle « Je veux tout de la vie » et « quand je n'y parviens pas, ça me rend folle de colère », si on refuse d'accepter les soumissions imposées par une collectivité, on est une bonne proie pour les basses attaques. Beauvoir en a subi sa part, énorme. Mais personne ne pouvait l'empêcher de dire ce qu'elle entendait dire. Il en va différemment pour une journaliste.

Avec Yourcenar, je n'ai pas eu d'états d'âme à propos de sa nécrologie. Quand je l'ai rencontrée, en 1984, je l'avais déjà, je dois l'avouer, « enterrée » pour le journal : « La nécro est au frigo », comme nous disons, en oubliant presque le sens des mots. Elle avait été victime d'un grave accident, au Kenya, l'année précédente, renversée par une voiture et projetée, à plusieurs mètres, à quatre-vingts ans. On se demandait si elle survivrait. Je répugnais à cet enterrement anticipé, je n'avais encore jamais écrit de tels articles. Mon chef de service, qui savait combien cet exercice paraît mortifère la première fois, m'a d'abord expliqué ce que je devais ensuite répéter à de plus jeunes : que « ça ne les fait pas mourir, bien au contraire », qu'il ne faut pas penser à la mort, mais à un portrait de cette personne qu'on aime. Finalement, il a fait acte d'autorité : « C'est toi qui connais le mieux son travail, donc c'est à toi d'écrire le papier, et tu ne partiras pas en vacances tant que tu ne l'auras pas rendu. » Je l'ai fait car je voulais m'en aller au soleil.

A-t-il voulu m'en récompenser, ce François Bott qui m'a formée au « Monde des livres », et qui était l'élégance même, le contraire d'un petit chef ? Toujours est-il qu'il m'a proposé de solliciter pour *Le Monde* un entretien avec Yourcenar et de m'envoyer le faire. Pas dans l'île des Monts-Déserts, dans le Maine, où j'avais vu de près sa maison – elle était absente –, mais lors d'un de ses passages à Paris. J'ai bien dû tourner trois fois autour de l'hôtel du Pont-Royal, où elle était descendue, avant de me décider à entrer. Après Beauvoir, c'était la deuxième fois que mon métier me mettait en contact avec une personne que je voulais rencontrer depuis des années. J'étais conduite à mesurer la distance parcourue depuis la cour du lycée et la blouse en Nylon beige. Yourcenar a été... superlativement Yourcenar. D'une courtoisie extrême, et d'une fermeté tout aussi extrême. Elle avait accordé un entretien – « une entrevue » –, disait-elle, de deux heures. Mais j'ai très vite compris que, si je ne répondais pas correctement à l'interrogatoire qu'elle me faisait passer sur son œuvre, j'aurais à plier bagage. Elle avait raison. Je trouve les écrivains beaucoup trop laxistes, généralement, beaucoup trop complaisants avec ceux qui viennent les interviewer sans les avoir lus. Interro réussie : je connaissais à fond mon Yourcenar de base, et je suis restée deux heures. Elle a relu. Elle a voulu corriger, non pour altérer son propos, mais pour faire entendre au plus juste sa voix. J'ai refusé, sans le lui dire, une de ses corrections. Elle m'avait dit « bien des gens vivent dans de petits enfers variés », et avait corrigé en « d'horribles petits enfers ». J'aimais « les petits enfers variés ». Elle ne m'en a pas voulu, a aimé ces deux pages titrées « La bienveillance singulière de Marguerite Yourcenar », et a trouvé « le chapeau » que j'avais rédigé « pas trop lourd à porter ». Puis elle est repartie en voyage, avec son compagnon d'alors, Jerry Wilson, qui devait mourir du sida.

Après la mort de Jerry Wilson, Yannick Guillou, son éditeur chez Gallimard, devenu depuis son exécuteur littéraire, m'a incitée à lui écrire, en 1986 : elle était, selon lui, seule et triste. Idée que je jugeais stupide. Comment se souviendrait-elle d'une journaliste inconnue, croisée deux heures au Pont-Royal ? Il a insisté. J'ai écrit. Et reçu un mot en retour, se terminant ainsi : « Les forces me revenant peu à peu, je compte me rendre en Europe à partir du 20 avril et serai du 2 au 11 mai à Paris pour y voir mon éditeur et quelques amis. J'ajoute votre nom à la liste de ces derniers ; peut-être trouvera-t-on un moment pour causer sans avoir cette fois à affronter la tâche d'une entrevue ! Très sympathiquement. Marguerite Yourcenar. » J'y ai seulement vu une formule de courtoisie. J'étais au courant de son arrivée à Paris, mais j'étais certaine de n'avoir aucune nouvelle. J'ignorais que, pour elle, chaque mot écrit avait valeur d'engagement. Elle a téléphoné un matin au journal pour me demander de venir prendre un verre avec elle au Ritz... Je l'ai revue, chez Yannick Guillou. Puis de nouveau au Ritz. Ces rencontres gardaient un aspect irréel. Moins irréel toutefois que lorsque je me suis retrouvée, avec le même Yannick Guillou, en juin 1987, pour un week-end dans le Maine, à Petite Plaisance. Dormir chez Marguerite Yourcenar, prendre une douche dans sa salle de bains, boire avec elle un café à la cardamome dans sa cuisine, s'asseoir sous les lilas mauves... j'ai presque encore peine à y croire. Un matin, dans son jardin, elle a eu ce mot si touchant : « Je pense que vous savez que vous êtes ici bien que journaliste et non parce que journaliste. »

Je ne savais absolument pas que j'écrirais un livre sur elle. Ni que son anniversaire, que nous avons fêté ensemble, le 8 juin, serait le dernier. Je pensais ne jamais écrire de livre. Je jugeais même malsain, déplacé, que les journalistes écrivent des livres. Je n'ai jamais été avare de contradictions... C'est peut-être ce qui m'a sauvée, et me sauve.

5

La fête et la fac

Chacun des « demi-siècles » a son souvenir de Mai 68, embelli, obscurci, radieux ou sinistre, sérieux ou festif. En ce printemps, nous étions huit millions à avoir entre quinze et vingt-cinq ans. J'étais en première. J'avais presque dix-sept ans. Même si j'avais déjà manifesté contre la guerre du Vietnam, ma conscience politique était assez flottante. Mon mois de mai fut d'une absolue banalité provinciale, mais je l'ai vécu comme une révélation, un miracle. Comme la fin lumineuse d'une adolescence morne. J'en garde l'image d'une fête étrange, d'une saison très clémente, même dans ce Poitou souvent humide. Poitiers, que j'avais toujours vu gris, était enfin ensoleillé. J'ai aimé d'abord la pagaille que les « événements » mettaient au lycée, les profs en révolte, ceux qui se libéraient d'un endroit qui les oppressait tout autant que moi, et les outrecuidants, les racornis, qui, la veille, tenaient le haut du pavé, se retrouvaient soudain cernés, horrifiés par ce que de Gaulle allait appeler « la chienlit ». Nous enjoignant de reprendre les cours. Vociférant contre les piquets de grève pour tenter de rejoindre leurs salles de classe. Les proviseur et censeur débordés… Un vrai bonheur. Et puis la paralysie de la ville, l'absence de transports en commun et la pénurie d'essence qui rendaient la rue aux piétons et à la parole, aux rencontres. Les AG interminables et enfumées à la fac, j'y assistais quasiment en fraude : les étudiants toisaient les lycéens, juste bons à grossir les cortèges de manifestants. Les murs avaient la parole, les lycéens pas encore. Je n'avais du reste pas grand-chose à dire, je ne comprenais pas tout ce que j'entendais, et j'étais médusée de voir des aînés de quelques années seulement tenir un discours politique en apparence si ferme et si élaboré, discuter pendant des heures sur une phrase, pour amender le texte d'une motion. Je ne connaissais pas le terme « langue de bois », ni la réalité de la chose, pourtant j'en ai ingurgité, de la langue de bois, en ce printemps.

Ce qui demeure le plus vif, quarante ans après, c'est le déferlement de paroles et l'expérience de la rue. Les slogans qui m'enchantaient, surtout « Sous les pavés, la plage » et « Soyons réalistes, demandons l'impossible ». Mais « Cours, camarade, le vieux monde est derrière toi » m'enthousiasmait aussi. Il aurait fallu aller à Paris pour vivre le moment plus intensément, mais on devait se contenter de la radio et de la télévision pour tenter de comprendre les événements. Ce rouquin insolent, Cohn-Bendit, qui semblait n'avoir peur de personne, était mon préféré. J'ai défilé en scandant « Nous sommes tous des juifs allemands » sans trop savoir ce que je disais là. J'ai moins apprécié sa désinvolture à l'égard de Sartre, qui, à cause de Beauvoir, était un de mes héros...

Je n'ai pas du tout aimé la commémoration compassée et commerciale des quarante ans de Mai 68. Comment « commémorer » et « Mai 68 » pourraient-ils coexister dans une même phrase ? A-t-on voulu ainsi répondre à un président de la République ayant fait campagne sur son désir de « liquider » cet héritage, cause supposée de tous les maux français de ce début de siècle ? Lui préférerait restaurer, non pas « Travail-Famille-Patrie », mais « Travail-Famille-Profit ».

Dans Poitiers, cette ville bourgeoise empesée de conventions, aux rues toujours trop mortes à mon gré, Mai 68 bousculait tout. Les dames convenables rasaient les murs, avec un air dégoûté et inquiet. Moi, je me croyais sur l'agora, enfin sortie des livres d'histoire grecque pour renaître. Et, dans les rues assez étroites de cette petite ville, la foule paraissait toujours énorme. En général, les foules me font peur, mais de celle-là je ne garde aucun sentiment d'angoisse. Toutefois, n'ayant pas un grand courage physique, je me « dissolvais » avant que les flics ne chargent, par crainte des coups, mais plus encore des mouvements de panique. Être piétinée était une terreur absolue... Mon seul tabassage ne fut pas une violence policière, mais le fait d'un excité d'extrême droite. Il est bien possible que je l'aie provoqué. Ceux-là tapaient fort, quelques-uns de mes amis ont été sérieusement blessés, mais je crois que leur machisme modérait leurs coups sur les femmes. À part cet incident, la rue, je l'ai aimée, c'est peut-être le seul moment de mon existence où les mots fraternité, fraternisation, ne m'ont pas déplu. Moi qui me sentais solitaire, peu portée à la convivialité – cela ne m'a pas quittée –, j'avais du bonheur à marcher dans ces cortèges où l'on parlait avec des inconnus, où l'on croyait « être ensemble ». Je me souviens d'avoir tenté de lancer, avec ma meilleure amie d'alors, dans une manif, le slogan « C'est la fête dans la rue », qui n'a pas été du goût des trotskistes, nombreux et pas vraiment bourrés d'humour. Là où ils sont aujourd'hui, presque sexagénaires, ils ont rarement changé...

Je n'ai pas la passion des récits d'ancien combattant, et mon expérience de Mai 68 fut, somme toute, très commune. Donc, laissons tomber les anecdotes. Je continue de penser que ce printemps est la meilleure chose qui soit arrivée au monde occidental depuis la fin de la Seconde Guerre mondiale, que les fenêtres se sont ouvertes, laissant entrer l'air et le plaisir, et accueillant toutes les interrogations et les remises en cause. Oui, c'était, pour partie, une révolte de privilégiés, nés dans une société en expansion. On ne risque pas de l'oublier : les enfants de la crise pétrolière nous le serinent et pensent que nous leur bouffons l'oxygène en nous croyant, vitaminés que nous serions à 68, toujours jeunes. Ils veulent la place, c'est légitime. Fallait-il pour cela élire un homme qui voit en Mai 68 le ferment, puis le spectre, d'une dévastation – un moment à rayer de l'Histoire ? Les fenêtres ouvertes alors, on veut toutes les refermer, y compris en mettant les enfants en prison. Ce n'est même plus 68 qu'on assassine, c'est 1945. Et ce n'est pas l'approbation quasi générale de la possibilité du mariage gay qui masquera l'énormité des régressions, dont témoigne aussi la condescendance de certains supposés jeunes – déjà très vieux – à l'égard de grands intellectuels de 68. La France est un pays triste, qui vieillit et s'accable. Le nouveau et bruyant président s'agite beaucoup pour se faire reconnaître comme moderne et inventif, mais il veut une France de propriétaires et de joggeurs abrutis.

Il n'a pas fallu attendre quarante ans pour prendre la mesure de la désillusion. La manif du 30 mai 1968, Malraux et Michel Debré main dans la main... J'ai mis du temps à pardonner à Malraux de m'avoir montré cette image de lui, égaré, la bave aux lèvres... La désillusion, c'était aussi cette ouvrière en larmes, qu'on verrait plus tard, dans un documentaire. Les syndicalistes venaient d'annoncer une victoire – une augmentation de salaires. Et elle sanglotait en disant qu'elle ne voulait pas seulement « plus d'argent », mais « une vie autre ». Son Mai 68, elle l'avait fait pour cette vie-là, qu'elle n'aurait pas. Pas pour des « lendemains qui chantent », mais pour un aujourd'hui enchanté. On venait de casser son rêve, tout en prétendant avoir gagné.

Pourtant quelque chose avait changé. De manière irréversible. Il est difficile pour ceux qui sont nés après de le mesurer. À la rentrée de l'année scolaire de 1968-1969, l'atmosphère n'était plus la même. Même dans ce lycée caserne, les murs avaient bougé, les hiérarchies étaient perturbées. Il ne suffisait plus d'occuper une certaine place pour faire autorité. En entrant dans leurs salles de classe, certains profs trouvaient au tableau une citation de Debord ou de Vaneigem, du genre : « Je refuse un monde où la certitude de ne pas mourir de faim s'échange contre le risque de mourir d'ennui. » Les plus malins commentaient, ou effaçaient sans dire un mot. D'autres se ridiculisaient en s'offusquant.

Malgré cette sorte d'euphorie, la perspective du bac m'inquiétait. Je n'envisageais pas un possible échec comme une péripétie, mais comme un désastre irrévocable. J'entrepris donc de m'y préparer avec ma meilleure amie, que j'allais mener à un train d'enfer. Nous avons eu le bac toutes les deux, mais elle a mis l'été à se remettre d'avoir suivi la brute que j'étais. Elle n'était pas cette bête de travail que je peux devenir de temps en temps. Pourtant, je suis profondément paresseuse, mais une paresseuse contrariée – exactement comme il y eut naguère des gauchers contrariés, ce qui, comme chacun sait, ne va pas sans un brin de névrose.

À part cela, elle avait à mes yeux toutes les qualités, en particulier celle d'être la dernière d'une famille de huit enfants. Grâce à elle, j'ai presque surmonté ma déception d'enfant unique. Son père était un médecin de campagne humaniste, fils de pasteur. Sa mère, protestante aussi, née dans la première décennie du XXe siècle, avait été l'une des premières femmes à obtenir un diplôme d'ingénieur. Elle avait renoncé à sa carrière, car, pour se guérir d'avoir été fille unique, elle avait voulu une grande famille. Dix enfants. Elle avait dû s'arrêter à huit. J'aimais ce choix radical. Je disais déjà : « Moi, ce sera quatre ou zéro. » On m'expliquait, ici et là, qu'il fallait avoir un enfant pour « prouver » qu'on était une vraie femme. Ensuite, on pouvait s'en tenir là. Beauvoir m'avait déjà convaincue du contraire. Alors, ou bien je ferais le même choix qu'elle, ou bien un choix radicalement différent et plusieurs enfants. Une famille – mot qui ne me séduisait guère, en ce qu'il incluait un mari.

Mon amie vivait, comme les petites filles sages qui me déplaisaient, dans un « autre monde » que le mien, mais le sien ne m'a jamais été inhospitalier. Tout allait de soi dans cette grande maison peu confortable – elle était mal chauffée et les W-C étaient encore dans le jardin – où il y avait toujours une chambre disponible pour un invité. On était régulièrement une quinzaine à table – les aînés étaient déjà mariés et avaient des enfants. La maîtresse de maison était très méthodique et bien secondée. Chaque matin, elle planifiait les menus du jour avec le personnel : hors-d'œuvre, plat principal, dessert. Courses à faire. Sans parler du ménage, des préparations spéciales pour les petits-enfants – déjà en nombre. Tout cela était inédit pour moi. Je regardais, j'apprenais – on ne sait jamais –, je veillais tout de même à ne pas faire d'erreurs : la rigueur protestante affleurait vite sous l'extrême gentillesse... Je ne sais pas si la fille blonde au sac Hermès que j'avais aimée quelques années plus tôt aurait été accueillie sans regards réprobateurs. La mère n'était pas coquette, loin de là. Cheveux gris, chignon, vêtements très corrects mais sans souci d'élégance. En revanche, elle avait le goût des meubles et des objets. J'ai longtemps recherché, en vain, une grande et vieille table poitevine, rectangulaire, comme la sienne. Chez moi, on était, en tout, pour le « fonctionnel », le « moderne ». Sans le formuler, c'était certainement une manière de liquider le passé, d'en finir avec une enfance qui n'avait pas laissé de bons souvenirs. Mais le Formica était d'une laideur... Il en reste un placard, dans le sous-sol actuel de mes parents. J'ai peine à imaginer qu'il était autrefois dans une cuisine. Dans les brocantes, on vend maintenant, assez cher, ces meubles plastifiés... Si j'avais une nostalgie des années 1950-1960, elle n'irait sûrement pas se nicher là. Je garde en horreur absolue l'odeur et le toucher du Formica ! Jusqu'au mot qui me répugne, avec son évocation des mérites des fourmis ménagères.

La maison familiale étant à quarante kilomètres de Poitiers, mon amie n'y rentrait pas tous les soirs. Elle habitait avec une de ses sœurs, alors étudiante à l'université. C'est elle qui nous entraînait à la fac en 1968, et qui, l'année suivante, a un peu entrepris notre éducation politique. Soirées très longues et enfumées où l'on discutait à l'infini des mérites respectifs du trotskisme et du maoïsme... Elle, la grande sœur, n'était ni l'un ni l'autre, plutôt une douce incontrôlable, ce qui me convenait. Les scènes demeurent floues dans ma mémoire, sans doute aussi parce que c'était très fumeux. Sauf quand je rencontrais les trotskistes militants. Je me demandais si je les admirais – pour leur énergie et leurs certitudes – ou s'ils m'effrayaient – par leur rigidité et ces mêmes certitudes... Circulait, à propos de l'un d'eux, un mot qui me réjouissait : « Dès qu'il se regarde dans la glace, il scissionne ! » Mais je croyais à leur remise en cause du « système scolaire » – du moins feignais-je de le croire. Même si on acceptait d'aller en hypokhâgne et khâgne, ce que ma mention Bien au bac me permettait, il fallait refuser de passer les concours. Ce que j'ai fait. Aujourd'hui, je pense – je sais – que j'habillais d'idéologie soixante-huitarde ma terreur d'échouer.

Oserai-je l'avouer ? La grande conquête de mon année 1969 fut moins le bac que le permis de conduire. L'indépendance enfin. Une petite voiture, vieille et peu chère, avait dit mon père, car, quand on débute, on se fait des bosses. Il m'avait offert une Opel d'occasion, en précisant : « La prochaine, tu devras te la payer. » Peu importait la voiture, l'essentiel était le déplacement. Quant à celle que j'allais acheter, un peu plus tard, en ayant travaillé quatre mois dans l'usine pharmaceutique Merck, à Darmstadt, en Allemagne, c'était une Coccinelle Volkswagen.

N'avait pas encore sévi l'incohérence des limitations de vitesse, qui fait conduire l'œil sur le compteur au lieu de la route, ou propulse des crétins à 110 « parce que c'est autorisé », sous une pluie torrentielle qui imposerait le 80, voire le 60. La vitesse m'excitait, je rêvais d'une voiture plus puissante. Impossible, trop cher. La vieille Opel, comme la Coccinelle, ont donné leur maximum. De Françoise Sagan, je n'avais lu que quelques livres, dont *Bonjour Tristesse*, mais je savais qu'elle aimait les voitures rapides. Qu'elle avait failli en mourir. Presque vingt ans après, en découvrant le chapitre « La vitesse » d'*Avec mon meilleur souvenir*, j'ai été jalouse de cette première phrase : « Elle aplatit les platanes au long des routes, elle allonge et distord les lettres lumineuses des postes à essence, la nuit, elle bâillonne les cris des pneus devenus muets d'attention tout à coup, elle décoiffe aussi les chagrins : on a beau être fou d'amour, en vain, on l'est moins à deux cents à l'heure. » J'aime toujours conduire, seule de préférence, et le plus vite possible. Toutefois si je m'impatiente d'être désormais bloquée à 130 sur une autoroute déserte, par peur du gendarme et des points de permis perdus, je n'en suis pas moins lucide sur la folie qui me faisait jadis atteindre les mêmes 130 sur des départementales étroites avec de petites voitures poussées à fond.

Les usines Merck, c'était presque un village,

dans Darmstadt… Je crois que c'est en 1971 que j'ai accepté ce travail, trouvé par un ami allemand, essentiellement pour gagner, grâce au mark – monnaie forte –, de quoi m'offrir une nouvelle voiture. Sans doute aussi pour connaître ce à quoi j'avais échappé. J'étais plutôt sceptique devant les suggestions de certains gauchistes de « s'établir », de renoncer au travail intellectuel pour devenir ouvriers. Pourquoi Darmstadt ? J'y avais fait un séjour d'études, et j'y retournais souvent. Pendant mes années de lycée, je m'étais rendue presque chaque été en Allemagne. J'avais appris l'allemand dès la sixième. Mon père y avait tenu, acharné qu'il était à la réconciliation franco-allemande, à cause de sa guerre. J'aimais cette langue, son architecture complexe. J'ai retrouvé, voilà quelques années, une de mes dissertations en allemand, écrite en khâgne, sur Gottfried Benn. J'ai eu la honte de n'y comprendre presque plus rien.

Chez Merck, le travail pour lequel on m'avait recrutée ne demandait aucune qualification, à peine quelques heures de formation sur la chaîne à laquelle je serais affectée. Premier jour : je dois d'abord en passer par la visite médicale. Style résolument germanique. « Calibrage » : taille, poids, tension, éventuelles maladies graves ou opérations… Auscultation minutieuse, réflexes. Puis le médecin du travail me tâte les jambes, les cuisses, les bras : « *Gut, spörtlich !* » Bonne pour le service. Ensuite, je suis prise en charge par une femme contremaître, un peu inquiétante, qui m'emmène à l'atelier. Je travaillerai sur la même chaîne, à un poste différent chaque jour. On m'expliquera. C'est la chaîne qui conditionne les ampoules. Une femme – celle-là demeure à son poste, stratégique – les reçoit et démarre la chaîne. Les ampoules glissent sur un tapis. Une ouvrière les place dans des alvéoles, la suivante vérifie qu'aucune n'est cassée et les introduit dans la boîte, la dernière récupère les boîtes, les place dans un carton, qu'elle enveloppe dans du papier kraft. Je détestais ce dernier poste car j'y étais lente et maladroite. Certains jours, on était fouillées en sortant : on venait d'emballer de la morphine. Je ne suis pas sûre que, sans la crainte de la fouille, je ne serais pas repartie avec une ou deux ampoules, histoire d'essayer…

Il y avait une autre étudiante, autrichienne celle-là, à cette chaîne. Très belle. Mais son mépris pour les ouvrières me dérangeait. Comme je n'en étais pas une, elle m'a invitée, quelques fois, à prendre le thé dans une pâtisserie de la ville, après l'usine. Elle était intelligente, parlait une langue magnifique, mais, décidément, son dédain m'était antipathique. Certes, les conversations de ces femmes n'étaient pas très variées. Les enfants, la nourriture, la maison, son mobilier et son jardin, les vacances. Mais depuis combien d'années étaient-elles là, huit heures par jour ? Huit heures, malgré deux pauses, c'est long. L'une d'elles – j'ai oublié leurs noms – avait été belle, mais, comme les autres, elle était accablée par les années de travail. Ce qu'elles voulaient entendre de la France, c'était le Sud, la Côte d'Azur, le soleil. Outre les commentaires usuels sur les affaires domestiques courantes, elles se concentraient sur les projets de vacances au soleil… France, Italie, Espagne. Tout une année de chaîne pour quelques jours de chaleur estivale…

Après ces quatre mois chez Merck, ma perplexité devant ceux qui prônaient le retour des intellectuels à l'usine s'était transformée en franche hostilité. Non seulement j'avais mesuré, fût-ce de manière éphémère, la rudesse de cette vie, mais je savais désormais que croire « partager » la condition ouvrière en s'établissant était illusoire. « Rejoindre » le monde ouvrier en sachant qu'on peut le quitter ne réduit absolument pas la distance sociale entre travailleurs intellectuels et travailleurs manuels. Cette jeune et brillante latiniste qui impressionnait tant une de mes condisciples expliquait qu'elle allait renoncer à son poste à la fac pour devenir caissière dans un supermarché parisien. Elle jugeait mes propos « débiles », et moi je taisais ce que je pensais vraiment : qu'il fallait certainement être née dans la bourgeoisie, tout ignorer du monde du travail, pour avoir une idée pareille. Elle n'a rien écouté, elle est passée de Tacite et de ses étudiants fascinés aux caisses et aux clients revêches. Elle n'était pas la seule, il y eut alors une sorte d'épidémie. Certains en sont morts. Elle, elle est rentrée. À la maison, et à l'université.

Malgré tout, ces gauchistes, je les écoutais, j'étais plutôt de leur côté que de celui des petits politiciens en herbe, qui, autour de Jean-Pierre Raffarin – mais oui, il était là, avec son acolyte Dominique Bussereau –, allaient devenir « jeunes giscardiens ». Être giscardien à vingt ans... Pourtant je n'arrivais pas non plus à être une militante gauchiste sérieuse. « Tu es une incontrôlable, indisciplinée, toujours critique, me disaient mes copains. En fait, tu es une anarchiste, et tu finiras à droite : les anarchistes finissent tous à droite. » Incontrôlable, certainement. Indisciplinée, encore plus. Critique, radicalement. Anarchiste, je ne sais pas. De droite, sûrement pas. Mais très mauvaise gauchiste, assurément.

Pour aggraver mon cas, je passais beaucoup trop de temps avec un prof de latin, assez âgé, communiste, et sa femme, plus jeune – elle avait été son étudiante –, tout aussi communiste. Elle était un merveilleux professeur d'histoire de l'art, c'est elle qui m'a appris à « voir » vraiment. Deux staliniens ! Ma mauvaise réputation était assurée. Eux aussi étaient mal vus par leurs camarades de cellule, pour fréquenter des étudiants gauchistes, ou supposés tels, qui, dans leur dos, devaient cracher sur le Parti. Et ils avaient le tort d'habiter Paris, d'être « turbo-profs »... C'est précisément pour cela que nous, étudiants, même assez peu communistes, les préférions – ils ne faisaient aucun prosélytisme. Les autres enseignants rentraient déjeuner et dîner dans leurs familles : eux n'étaient là que deux jours ; mais, pendant ce temps, avec nous, pour nous.

Nous sommes quelques-uns à leur être restés liés. Moi surtout, avec le prof de latin, stalinien jamais repenti, mais doté d'un humour qui m'enchantait. « Stalinien » et « humour » ne vont pas très souvent de pair. Lui n'a jamais renoncé, ni à l'un ni à l'autre. Il a cessé de lire *L'Huma* quand « Organe du Parti communiste français » a disparu de la une. Il est passé au *Monde*, journal bourgeois, certes, mais qui n'avait pas rentré son drapeau – sans doute pour ne l'avoir jamais sorti. Il était né en 1910, avait fait Normale sup avec Pompidou et Senghor, aimait follement le latin, Venise, les danseuses, les bars et le chocolat. Ignorant l'anglais, il bavardait avec ses collègues britanniques ou américains en latin. Sa traduction de Catulle avait été refusée par les éditions Budé parce que trop crue, pas assez *ad usum puellarum*. Les Belges, moins puritains, l'avaient publiée.

Une fois ma licence de lettres classiques en main, il fallait se décider pour un sujet de maîtrise. Il savait que j'avais déjà la tête ailleurs, que je ne voulais pas tenter l'agrégation, de peur d'échouer, comme toujours. De peur aussi d'être coincée dans une filière professionnelle qui ne me plaisait pas. Il m'a donc proposé de faire avec lui, vite et bien, un mémoire sur Catulle et ses divers commentateurs modernes. Vite, j'ai fait ; bien, je préfère ne pas trop m'interroger. Si je n'avais pas eu ce désir de partir, cette envie de journalisme que je ne savais toujours pas comment réaliser, j'aurais plutôt fait un mémoire sur Claude Simon. Ou sur Picasso, puisque j'avais aussi une licence d'histoire de l'art. Mais Catulle serait plus rapidement expédié, avec la complicité de cet homme qui me comprenait très bien et m'a toujours soutenue. Nous sommes restés amis jusqu'à sa mort, à quatre-vingt-treize ans. Claude Simon, un de mes profs en parlait merveilleusement. Et je lisais dans *Le Monde* les articles enthousiastes que lui consacrait Jacqueline Piatier. Pourtant le journalisme et la littérature ne me semblaient pas alors avoir partie liée. Je lisais Marcel Proust et je savais que je ne serais pas non plus écrivain. Proust ou rien ! Quel orgueil idiot, déplacé ! Et ce n'est pas la découverte de Marguerite Duras qui m'a fait rejoindre le peloton, aujourd'hui disparu, des filles ayant commis quelques romans durassiens, plus proches du pastiche que de la création.

Ce débat, journaliste/écrivain, m'occupe toujours. Peut-être le mot « écrivain » est-il mal choisi mais je n'en trouve pas d'autre. Il n'est pas, à mes yeux, nécessairement synonyme de qualité. J'ai lu de mauvais livres d'écrivains et d'excellents livres de journalistes. Avoir écrit deux biographies ne fait pas de moi un écrivain et ce récit, bien que plus personnel, n'y changera évidemment rien. Comment m'expliquer ? Par « écrivain », j'entends une personne qui a un rapport au temps radicalement différent de celui du journaliste – et de tous les autres. Et un rapport au monde extrêmement singulier. Comme disait Beckett quand on lui a demandé pourquoi il écrivait : « Bon qu'à ça. » D'autres pourraient dire « Rien que ça », ou « Tout pour ça ».

À la fac, on n'avait pas encore ce débat-là. Mais on s'empoignait déjà sur la littérature contemporaine. Sur les femmes, on se battait à coups de Duras et de Sarraute, sur les hommes à coups de Simon et de Robbe-Grillet – ma préférence allait déjà au premier. Et puis il y avait cet écrivain plus jeune, la trentaine, qui me valait les pires bagarres avec mes amis « branchés » – avant l'invention du mot. Ils étaient tous telqueliens et Philippe Sollers était leur idole. Je lisais *Tel Quel*, que je leur empruntais. Mais pas comme une bible. Pas en faisant mine, comme eux, de tout comprendre. Surtout pas en tenant Sollers pour une sorte de pape ou de gourou. Voilà qui était déjà considéré comme un crime. Mais il y avait pire, j'osais dire qu'il ne m'intéressait pas tellement comme maître à penser, mais qu'il me passionnait comme romancier – même si les livres que j'adorais alors ne sont pas ceux que je préfère aujourd'hui. Un prof nous avait recommandé *Le Parc* et *Drame*, puis j'avais lu le reste. Comment avais-je la sottise de prétendre qu'il devrait surtout écrire des romans ? Voyons, le roman était mort, il n'en écrirait plus. Seule la théorie comptait... C'était évident, je n'y comprenais rien ! De toute façon, je n'avais pas la tête théorique, ni philosophique – ce qui, pour le coup, était très juste. Moi je tenais bon, sans être certaine de mon fait – Sollers est tout de même resté huit ans sans publier de romans. Non seulement il continuerait, mais il deviendrait l'un des grands écrivains du siècle.

C'est pour cela que, lorsque j'ai entendu, des années après, qu'on m'accusait de louer l'œuvre de Sollers et de le faire écrire dans *Le Monde* parce que nous étions « copains », j'en ai d'abord ri. Le travail d'écrivain de Sollers, c'était une admiration qui datait de mes vingt ans, une époque où je n'avais aucune idée de ce qu'était le milieu littéraire, où je n'avais d'ailleurs aucune envie de rencontrer cet homme que je lisais, où je ne pensais même pas que le métier que je souhaitais faire puisse avoir un quelconque rapport avec mes goûts littéraires. Que cette admiration de jeunesse, non démentie, m'ait conduite à désirer le voir écrire dans *Le Monde*, c'est certain, mais que ce soit affaire de copinage est faux. Tout simplement.

Je me demande parfois où sont les telqueliens frénétiques que je fréquentais alors. Ils doivent être des ennemis radicaux de Sollers, pensant qu'il a trahi l'avant-garde. Et ils ont dû détester cette phrase de *Femmes* dans laquelle je me reconnais : « Je veux tout garder… Je veux tout… L'enfance… La gloutonnerie, les grandes vacances permanentes… La fête… La vie endiablée… » En ce temps-là, ils rêvaient de « monter à Paris », d'assister aux réunions du groupe Tel Quel, de parler avec lui. Moi, pas vraiment. En outre, je ne souhaitais pas m'arrêter à Paris, mais partir plus loin, prendre du champ, décider enfin ce que je ferais. Ce qu'on m'avait dit pour me dissuader d'être journaliste m'avait fait douter. J'allais toutefois tenter ma chance. On verrait bien. Il fallait en premier lieu apprendre l'anglais, dont je ne possédais que quelques rudiments, ayant fait du grec plutôt qu'une seconde langue vivante. La meilleure manière, c'est l'immersion. Londres était proche, mais cette ville ne m'attirait pas – cela n'a guère changé. Mon souhait était d'aller de l'autre côté de l'Atlantique, vraiment vers l'inconnu, New York. La Ville.

6

En route vers la Grosse Pomme

New York... Sans y être allée, je me la représentais comme la ville absolue. Une verticalité radicale. Des nuits jamais noires. Un port immense. Je n'avais vu qu'en photos et dans des films ces immeubles qu'on appelle gratte-ciel et, pourtant, cette fameuse « Manhattan Skyline » m'était déjà familière. On m'affirmait que cette ville était sale et dangereuse, ce qui ne me dissuadait en rien. Je connaissais mal Paris. Londres m'avait été inhospitalière. À Rome, avec le prof de latin et sa femme, j'avais trop peu flâné au hasard, fait des visites balisées, vestiges romains et églises. Je n'y étais allée que deux fois, mais plus souvent à Venise, la ville préférée de ce vieux latiniste paradoxal. J'aimais m'y perdre avec lui, le suivre lorsqu'il prétendait, en grand connaisseur de la ville, prendre un raccourci... qui, invariablement, aboutissait à un canal, nous obligeant à revenir sur nos pas. Venise m'a instantanément fait rêver. Je suis perplexe devant ceux, à commencer par Sartre, qui la voient dépérir et s'enfoncer dans la lagune, la décrivant comme un concentré de morbidité. N'est-elle pas plutôt un heureux concentré de civilisation, un lieu qui exalte ? Je pensais qu'elle allait devenir une de mes villes de prédilection. Je n'y suis retournée que quelques fois. Serait-elle trop parfaite, trop ouvertement somptueuse pour que je m'y sente vraiment à l'aise ? Ou trop secrète ?

En 1973, la question ne se posait pas. Le choix n'était pas entre Rome et Venise, mais entre Londres et New York, l'urgence étant l'apprentissage de l'anglais. Ce serait donc New York. Mes parents m'offraient un billet aller-retour, mais je devais trouver les moyens de me loger et d'y vivre. Sans inscription universitaire, sans projet d'études ni certificat de travail, il fallait partir avec un visa de touriste, expirant au bout de trois mois, et ensuite... se débrouiller. Pour avoir un toit et un peu d'argent, une seule solution : fille au pair. Mes parents, toujours bienveillants, ne se sont pas opposés à mon projet. Je mesure ma chance. Ils ont accepté de passer aux yeux de leurs proches pour des irresponsables, expédiant dans la cité du crime leur fille de vingt-deux ans qui n'avait jamais vécu dans une grande ville.

L'organisme de recrutement que j'avais contacté m'a proposé, une fois la famille d'accueil trouvée, de rencontrer, à Paris, celle qui m'avait précédée dans la place. Rendez-vous au Quartier latin, au Café de Cluny. Arrive une jeune femme magnifique, en short, longues cuisses bronzées, vingt-six ans, le genre qui ne s'en laisse pas conter. Elle me précise que le mari est assez charmant, la femme, plutôt revêche, l'enfant, une fille unique de sept ans, pénible. En gros, tout s'était bien passé, même si la femme trouvait son époux trop familier avec elle. J'ai compris, dès mon arrivée à l'aéroport Kennedy, en découvrant cette petite épouse maigrichonne et coincée, qu'elle avait dû souffrir de voir son mari s'amuser et plaisanter à la plage avec cette belle fille. Elle avait sûrement pris des mesures pour que cela ne se reproduise pas. Bonne pioche : je n'étais pas une beauté, et mon anglais minimal ne me permettait pas de partager des plaisanteries.

Je débarque donc un après-midi, un peu flottante. Tout au long de la route menant de l'aéroport à Manhattan, j'ai l'impression d'entrer dans une carte postale, mais sans aucun sentiment d'étrangeté ou d'angoisse. D'emblée, cette ville est à moi. Pourtant de Poitiers, petite cité au passé médiéval, à Manhattan, j'avais fait le grand écart. Ce premier contact si naturel avec la « Grosse Pomme » ne me laissait pas présager que l'aventure allait être beaucoup plus insolite que je l'avais prévu. Et peut-être me donner le sentiment durable, mais surfait, de pouvoir me tenir en équilibre au bord d'un précipice sans jamais y tomber.

Me voilà donc dans un grand immeuble sur Central Park West, tout près de la 72e Rue. Il y a un portier en uniforme, ce que je croyais jusqu'alors réservé aux hôtels. Je ne sais plus à quel étage se situait l'immense appartement de la famille, qui m'a impressionnée. Je crains de ne pas l'avoir trouvé, d'emblée, d'un total mauvais goût, avec ses fausses antiquités d'une fausse Europe. On m'a montré ma chambre et la salle de bains attenante, minuscules, jouxtant la cuisine, et sans climatiseur. Certes, je suis une fanatique de la chaleur, des étés torrides, même à New York, quand tout le monde fuit vers l'Océan pour échapper à l'humidité poisseuse. Mais là, avec une fenêtre donnant seulement sur une sorte de puits sombre, formé par les murs de trois immeubles... Il n'y avait pas un souffle d'air, et l'été était chaud, 37, 38 degrés Celsius. Ceux qui craignent la chaleur seraient peut-être tombés malades. Moi, je me levais plusieurs fois dans la nuit, encore endormie, pour me doucher, je me recouchais trempée et je séchais en quelques minutes. Je suis arrivée un jeudi, et, le samedi, la famille est partie pour le week-end dans les Hamptons, au bord de la mer. Pas question de m'emmener. La femme avait dû mettre les choses au point avec son mari, plus accueillant qu'elle, mais tout de même sur la réserve, et visiblement soucieux de ne pas s'attirer ses foudres. Est-ce parce qu'ils ne sont pas un souvenir agréable que j'ai mémorisé leur patronyme mais suis incapable de me rappeler leurs prénoms, pas plus que celui de leur insupportable gamine ? Il me revient que le mari devait s'appeler Mark.

Je les connaissais depuis trois jours et j'étais déjà contente de les voir partir... Pour comprendre une ville, il faut marcher. Mais d'abord, ici, apprivoiser le métro. Contrairement à celui de Paris, les lignes se croisent très rarement. Je mentirais en disant que j'ai maîtrisé le fonctionnement du métro new-yorkais en un week-end, puisque, quelques mois plus tard, je me suis retrouvée, une fin d'après-midi, la nuit tombée, au cœur de Harlem. J'étais la seule Blanche... Je commence donc, comme tout le monde, par le parcours touristique type. Immeuble des Nations unies, Radio City, Rockefeller Center, Empire State Building – pas encore le World Trade Center, il sortait tout juste de terre. Avant même d'aborder le Metropolitan Museum, je me précipite au MoMa, pour voir, enfin, *Les Demoiselles d'Avignon* et *Guernica*, « en vrai ». Mais surtout, marcher, marcher, arpenter les rues. Il fait chaud.

Dans Central Park, on bronze sur les pelouses, on se promène en short. Je suis trop couverte, mais je n'aime pas me dénuder. Le bitume, par endroits, colle aux semelles. Si l'on cherche un peu de fraîcheur dans un magasin, on y gèle. Plus on va vers le bas de la ville, moins le plan est rectiligne, plus la distance entre l'est et l'ouest se réduit. Même si l'on se perd, on parvient très vite, de chaque côté, à un bras de mer, East River à l'est, Hudson River à l'ouest. Au pied du pont de Brooklyn, je me crois dans une scène de film. À Battery Park, je reste longtemps sur un banc, pour me reposer, pour m'assurer aussi que je suis bien dans le réel, pour regarder vers le large – je serai émue, plus tard, de revoir une scène semblable dans le *Manhattan* de Woody Allen. En noir et blanc, un couple sur un banc... Bien que Manhattan soit hyperboliquement une ville, j'ai soudain conscience d'être sur une île. Et puis, au terminus d'une ligne de métro, on est à la plage, Coney Island, assez laide, mais aller à la plage en métro... cette perspective m'enchante.

J'ai eu raison d'en profiter. Dès le lundi matin, la maîtresse de maison me prend en main et m'explique ce que j'aurai à faire, le travail domestique et la surveillance de l'enfant, et quelles seront mes heures de liberté pour prendre des cours d'anglais. Je comprends à peu près ce qu'elle me dit, suffisamment pour savoir que je la trouve très antipathique. Quant à l'enfant... jamais « s'il vous plaît », ni « merci ». Seulement « *Hungry !* » « *Ice cream !* », « *Thirsty !* », « *Dinner !* »... Je cherche le mot dans le dictionnaire pour lui signifier que je ne suis pas son esclave. Je me demande à quoi elle ressemble aujourd'hui, à quarante-deux ans... Je suis inscrite au cours d'anglais pour étrangers à l'université Columbia. Grâce à mes rudiments d'anglais, au latin, à l'allemand et au français, j'ai obtenu, au test d'entrée, une note bien supérieure à mon niveau réel, qui me propulse dans une classe trop avancée. Cela me vaudra des migraines tenaces, mais des progrès à pas de géant. Malgré cela, malgré cette ville qui me donne une formidable sensation de liberté et de puissance, je me vois mal rester toute une année chez ces gens-là. Mais je ne veux pas rentrer en France, donc, pas d'autre issue... La petite n'est pas la seule à me prendre pour une esclave. Non seulement ils ne vident ni ne rincent leur baignoire, mais le mari, qui se rase avec un rasoir mécanique, laisse, pour moi, la mousse et les poils sur le bord du lavabo. J'en ai la nausée tous les matins. Un jour, la femme me demande même d'aider les deux femmes de ménage noires à faire les cuivres. C'est non. D'autant que je ne peux pas parler avec ces deux femmes tristes : je ne comprends pas ce qu'elles disent, je ne suis pas encore habituée à leur accent. Un autre jour, tandis que je travaille mon anglais dans ma chambre, j'entends un bruit de verre cassé. Le mari, qui adore faire la cuisine et empiler, pour moi, tous ses ustensiles sales dans l'évier, m'appelle pour me montrer qu'il vient de faire tomber un bocal plein de farine... Je comprends vite qu'il attend que je le ramasse à sa place. Je rentre dans ma chambre : il y a des limites ! Il ne vient pas me chercher, il ramasse. Un soir, c'est elle qui entre, sans frapper, avec, à la main, un tablier en dentelle blanche. Elle me le montre, m'apprend le mot : « *apron* ». Ce soir, des amis viennent dîner. Elle souhaite que je le mette et que je serve à table. Hors de question. Elle est furieuse mais n'insiste pas. Je reste dans ma chambre. Les convives arrivent, prennent l'apéritif, je regarde la scène en douce, et j'ai comme une révélation... La décoration de l'appartement, la manière dont elle est surhabillée quand elle reçoit, la fille au pair française, « toujours française, nous n'acceptons aucune autre nationalité »... Il s'agit de singer l'aristocratie européenne d'autrefois. C'est plus que raté.

Comment sortir de là ? Heureusement, New York m'a toujours porté chance. Un soir, le mari, un peu pincé, m'avertit qu'on me demande au téléphone – leur téléphone, nécessairement, le mobile n'existe pas encore. Une voix d'homme, claire, chaleureuse. Et un récit improbable. Il s'appelle Jack, rentre de Crète, où il a pris en stop une de mes amies, qui lui a donné mon numéro de téléphone. Il serait content de me rencontrer et de me montrer sa ville. Cette ville, il l'adore, elle est merveilleuse, il ne faut surtout pas écouter le mal qu'on en dit. Rendez-vous est pris pour un de mes soirs de liberté. Un géant m'attend dans le hall de l'immeuble. Très blond, pas du tout mon type. Très athlétique. Impressionnant. Un beau sourire, des yeux intensément bleus. Il m'emmène dîner et se propose de jouer les guides pour le week-end. De me montrer l'Empire State : « Oui, c'est beau. J'y suis allée. » Les Nations unies : « J'y suis allée aussi. » « Mais vous n'avez pas vu la Rainbow Room du Rockefeller Center ? – Si... » Au fond, il est content de ne pas avoir à refaire ce parcours convenu, et de me montrer les endroits où ne vont pas les touristes, et même les quartiers dits dangereux.

Tous les week-ends de la fin de l'été, tandis que « ma » famille part pour le bord de mer, nous arpentons Manhattan. Surtout le bas de la ville. Il habite 9e Rue, entre University Place et Broadway. J'aime les quartiers déglingués, les quais de l'Hudson, le Lower East Side, le Bowery, à l'époque un ghetto de clochards. New York a ce qui, pour moi, manque à Paris : l'odeur de l'Océan. On prend le Staten Island Ferry, souvent de nuit, pas pour changer de quartier, juste pour faire l'aller et retour sans descendre, voir s'éloigner Manhattan et revenir dans sa lumière. Si longtemps après, chaque fois que je retourne à New York, je refais cette balade nocturne. Désormais, manquent ces tours jumelles que j'ai vu construire. Et j'ai toujours, chez moi, à Paris, une très belle photo de Raymond Depardon, un couple enlacé, sur le Staten Island Ferry, avec, au loin, la pointe de Manhattan. Je découvre le Bradley's, bar où l'on écoute du jazz, sur University Place. Et d'autres boîtes de jazz. Un de mes profs de Columbia joue du piano dans une petite formation. Je passe des nuits à l'écouter. Mais j'ai une affection toute particulière pour le Bradley's. Plus tard, je n'irai jamais à New York sans y passer presque toutes mes soirées. J'ai bien cru avoir perdu le « sens de New York », ce jour d'été 1997, où je voulais emmener un ami français au Bradley's. J'arpentais le « *block* » où il se trouvait en maugréant : « Mais enfin, je ne suis pas folle, il devrait être là... » Jusqu'à ce que je comprenne qu'il avait été remplacé par ce banal restaurant appelé, allez savoir pourquoi, Le Réservoir... J'aurais pu en pleurer. Je ne mettrai évidemment jamais les pieds au Réservoir.

En 1974, le Bradley's est un lieu que je crois éternel. C'est aussi l'année où Duke Ellington meurt. On se presse à son enterrement – beaucoup de Noirs et quelques Blancs. C'est presque une fête, musicale et grandiose. Ella Fitzgerald est, elle, bien vivante et je la vois pour la première fois sur scène. La salle est pleine; on a même vendu des chaises placées derrière elle. Elle est si chaleureuse et courtoise que, en chantant, elle se retourne souvent vers ceux – dont moi – qui la voient de dos.

Ce Jack, je le trouve charmant mais me refuse à croire que je pourrais tomber amoureuse d'un athlète blond, qui s'entraîne au judo tous les jours et dévore des steaks gigantesques. Pourtant, il me plaît. J'aime sa générosité, sa curiosité, son sens de l'hospitalité. Sa mégalomanie aussi. Il a trente et un ans et pense que rien, jamais, ne lui résistera. Il se verrait bien président des États-Unis « dans quelque temps »... Surtout, il m'incite à quitter ces gens « impossibles ». Ce qui est impossible, c'est précisément de les quitter. Comment survivre ? Il allait m'expliquer. Je l'ai écouté, bouche bée. « Tu vas chercher du travail. On te demandera ton numéro de Sécurité sociale, rien d'autre. Tu te serviras de celui de ma sœur. Le temps que l'administration repère la supercherie, tu seras rentrée en France, ou bien on t'aura trouvé un autre numéro. Pour le visa, je vais aller avec toi et dire que tu habites avec moi au moins pour six mois encore. Du reste, tu peux emménager chez moi. » Je refuse. « Alors, cherche un hébergement gratuit. Certaines personnes donnent des chambres en échange de quelques heures de ménage, et de quelques courses. Rien à voir avec l'enfer de tes salles de bains matinales. » À toutes mes objections, il a opposé un jugement radical : « J'ai un problème avec les Français. Souvent, en affaires, dans les négociations, je les juge très intelligents. Mais dès que surgit un problème sur un projet complexe, ils mettent toute leur intelligence à essayer de me démontrer pourquoi cela ne sera pas possible, au lieu de mettre la même intelligence à imaginer comment ce serait possible. » Je n'oublierai jamais ce propos, si juste. Peut-être même en ai-je fait une règle de vie.

Je décide donc de suivre ses conseils. Par les petites annonces de l'université, je déniche une chambre à partager avec une jeune architecte yougoslave, sur Riverside Drive, à deux pas de Columbia, chez un homme seul, vieux garçon qui vivait avec ses parents – ils avaient fui l'Allemagne dès 1933. Depuis leur mort, il donne leur chambre à deux étudiantes, à condition qu'elles s'occupent un peu de la maison – courses, lessives et ménage. Il ne m'inspire pas vraiment confiance, mais il me faudra quelques mois pour prendre la mesure de ses problèmes sexuels, et louer une chambre à la Maison internationale, toujours près de Columbia. Très cellule, la chambre. Mais… enfin seule. Je peux la payer, car je travaille. Grâce au numéro de Sécurité sociale de la sœur de Jack, je suis employée comme serveuse, le midi, dans une cafétéria du Rockefeller Center, dans la 48e Rue, le Bun n' Burger, démoli depuis. C'est une cantine pour hommes d'affaires pressés mais répugnant au MacDo et autres Burger King. On y cuit la viande à la commande, dans une cuisine visible de la salle – un grand comptoir et quelques tables. Les clients descendent de leur bureau pour un déjeuner hâtif, vingt minutes environ, donc la rotation est très rapide. Les serveurs, plutôt des serveuses, changent de place chaque jour – on dit de « *station* » –, car, l'espace étant tout en longueur, en entrant les clients s'installent spontanément au plus près. Plus on travaille vers le fond, moins on sert de couverts et moins on a de pourboires. J'ai de la chance, certains clients viennent chaque jour s'asseoir dans ma « *station* ». Ils me suivent. On échange quelques mots et ils me laissent de gros pourboires. Une étudiante française dans ce lieu, c'est assez exotique. Au Bun n' Burger, on n'est pas très regardant sur les permis de travail, comme le prouve la présence de Latinos sans papiers en cuisine. Ce qui permet de payer les serveuses une misère – le gros du salaire est fourni par les pourboires –, et, à la moindre protestation, de renvoyer l'insolente tant sont nombreuses celles qui attendent pour la remplacer.

Ma situation était loin d'être aussi précaire que celle des cuisiniers mexicains. Être réexpédiée en France n'aurait pas été un drame, sauf pour mon amour-propre. Malgré tout, j'ai connu cette peur au ventre qui saisit lorsqu'on voit entrer les contrôleurs de l'immigration – on les reconnaît d'emblée – et qu'il faut essayer de s'éclipser au plus vite, et discrètement, par les sous-sols. C'était un travail fatigant, et, parfois, je m'endormais pendant le cours du soir à l'université. Mais j'avais eu la joie de donner mon congé à l'enfant capricieuse et à sa détestable mère. Je me souviens du petit discours, que j'avais mis des heures à préparer dans un anglais encore hésitant : « Je ne veux plus rester chez vous. En fait, vous voulez une esclave intellectuelle, qui lave vos baignoires, polisse vos cuivres, serve à table, mais avec qui vous pouvez de surcroît parler de Picasso, de Faulkner et de Proust. Cela ne me convient pas. Je pars. » Son visage était déformé de fureur : « Je ne vous connais pas, mais j'ai bien compris votre caractère : vous êtes une orgueilleuse. Or vous ne pourrez pas survivre à New York, vous allez être obligée d'utiliser votre billet de retour et de repartir, ce sera une terrible défaite que vous supporterez très mal. – On verra bien. » Le lendemain, j'ai fait mes bagages. Le hasard a voulu que, six mois plus tard, alors que j'étais au volant de la BMW de Jack, devenu mon *boyfriend*, je m'arrête à un feu rouge. En traversant la rue, elle me voit. À sa moue dégoûtée, je comprends qu'elle se dit : « Heureusement qu'elle est partie, on l'a échappé belle, c'est une pute ! »

Contrairement à ses prédictions, je ne suis pas rentrée en France prématurément, j'ai même failli rester à New York. J'ai franchi des étapes dans le programme d'anglais, j'ai pu m'inscrire à des cours d'histoire de l'art. L'élection de Giscard d'Estaing à la présidence de la République, après la mort de Georges Pompidou, ne m'incitait guère au retour. L'école de journalisme de Columbia était l'une des plus réputées… Pour obtenir une bourse, il fallait posséder un anglais d'une autre qualité que le mien. Jack, ayant des solutions pour tout, a proposé de m'épouser et de payer mes études. Journalisme… Columbia… C'était tentant… Mais un choix radical. Je me suis vue, dix ans plus tard – j'aurais trente-deux ans, Jack quarante et un –, avec un beau poste dans un journal, peut-être, mais à coup sûr deux enfants blonds, une belle voiture, une maison de campagne avec piscine et… probablement devenue alcoolique et grosse. Grosse, je l'étais déjà, j'avais pris deux tailles à coups d'*apple pie and ice cream* au resto, après le travail.

Il fallait s'enfuir, de peur de se laisser tenter. À Orchard Street, dans le quartier juif aujourd'hui disparu, j'ai acheté, à bas prix, une énorme malle. Si j'avais toujours ma chambre à la Maison internationale, en réalité je vivais chez Jack la plupart du temps. Le matin où je faisais mes bagages, il a entrepris un curieux tri : « Cet objet, tu me l'as offert, je le garde. Celui-là, je te l'ai offert, tu le prends, et cet autre, tu l'as acheté pour nous : on en fait quoi ? » J'avais presque envie de tout laisser, de repartir avec une valise. Cela m'a guérie à jamais de la cohabitation. Pas de promiscuité, pas de partage au moment des ruptures, à chacun son espace.

Ce fut un crève-cœur de quitter cette ville où j'avais joui, pour la première fois, seule, de ma liberté, où le mot indépendance avait pris sens. Même si mon salaire était dérisoire, c'était *mon* argent. Je me souvenais avec bonheur du conseil ancien de ma mère, ne jamais dépendre d'un homme – d'une femme non plus. New York me semblait la ville aux mille vies possibles, où rien ne s'endort, où l'on peut faire ses courses à minuit. Je mesurais ce que j'avais détesté dans cette province dont j'avais toujours voulu m'enfuir, ces petites villes qui meurent le soir. Moi-même, à New York, j'avais plusieurs vies chaque jour. Le resto, la fac, mon histoire d'amour.

Je n'ai jamais eu peur dans Manhattan. Barbara, alors voisine de palier de Jack – elle travaillait au *New Yorker*, un temple du journalisme à mes yeux –, est restée une amie proche, et elle rappelle volontiers mon périple à Harlem, qui, en 1974, était encore un ghetto, non le quartier qu'il est désormais, plus résidentiel, plus bourgeois... L'utilisation d'un « faux » numéro de Sécurité sociale, en l'occurrence celui de la sœur de Jack, ne pouvait pas rester longtemps inaperçue. Or j'avais appris que certains bureaux de Sécurité sociale acceptaient de délivrer des numéros d'immatriculation sans exiger la présentation de la carte verte de résident autorisé à travailler. J'ai relevé dans l'annuaire l'adresse de tous les bureaux de Harlem, même les plus lointains, tout en haut de la ville. Dans chacun, je remplissais mon dossier. Mais, au guichet, on me demandait toujours de présenter ma carte verte, indispensable pour travailler. Au cinquième bureau, on a pris mon dossier sans rien exiger. Plus je montais vers la 150e Rue, vers le quartier où les Blancs ne se risquaient pas, plus je me sentais, non pas menacée, mais étrange, incongrue, avec ma peau claire. J'étais comme une tache. Mais tout s'est bien passé. Et, quelques semaines plus tard, j'ai reçu le numéro. Je n'ai jamais tiré au clair ces trafics de numéros. J'ai sans doute cotisé pour quelqu'un d'autre.

Si, dans ces années 1970, la ville était plus dangereuse qu'aujourd'hui, elle était plus excitante aussi, plus imprévisible. D'un *block* à l'autre, l'atmosphère pouvait changer du tout au tout. Je ne commettais pas d'imprudences. Je ne prenais pas le métro seule après 22 heures. Je ne portais pas de bijoux apparents, si j'avais une chaîne autour du cou, je la cachais sous mon pull. Je n'ai jamais été agressée, contrairement à cette étudiante française terrifiée, dont j'avais fait la connaissance à l'université. C'était la proie idéale. Quand un gamin noir lui demandait l'heure, elle tremblait tellement qu'il partait avec la montre... Je l'avais envoyée voir, au sous-sol du McGraw Hill Building sur la Sixième Avenue, un documentaire dont je ne me lassais pas, *The New York Experience*. Je crois que cela ne l'avait pas calmée, bien au contraire. Le film commençait dans le bruit à peine supportable de milliers de verrous énormes se fermant au même instant. Des images de peur, mais aussi des images de joie. Folie inquiétante et folie enthousiasmante de cette mégapole. *The New York Experience* donnait toutes les raisons de haïr New York ou de l'aimer passionnément. Je l'aimais passionnément.

Tout en refusant de revenir sur ma décision, je pleurais de devoir quitter la ville. J'étais affreuse avec mes yeux rouges et mes paupières gonflées. Un soir, Jack m'a offert une énorme paire de lunettes de soleil Dior, genre fausses lunettes de star, très laides, mais derrière lesquelles on pouvait pleurer tout à son aise. Je les ai gardées longtemps, sans plus jamais les porter. Le soir du départ, j'ai eu droit, dans l'ascenseur, à un discours péremptoire comme les aimait cet homme : « Cesse de ne pas avoir confiance en toi. Tu veux être journaliste ? Tu seras journaliste, et tu seras journaliste au *Monde.* » J'avais raison de fuir, ce type n'avait aucun sens des réalités. *Le Monde* ! Il connaissait à peine la France, ne parlait pas le français et pensait que je pouvais devenir journaliste au *Monde* – sans doute parce que c'était le seul nom de journal français qui lui était familier.

De mon retour, je ne retiens que la traversée de Paris en taxi, et une sorte de bonheur sur les quais de Seine. Paris m'a émue, je lui trouvais un charme inédit. New York m'avait fascinée, Paris me séduisait. Mais Paris pour y faire quoi ? Il était évident que je n'allais pas retourner à Poitiers, sauf provisoirement, pour voir mes parents. Malgré leur joie de me revoir, je n'ai pas manqué de noter le regard en coin de mon père sur ma corpulence. J'allais y remédier. Ce à quoi je ne pouvais pas remédier, c'était d'avoir trop tardé à rentrer pour être en droit de m'inscrire aux concours d'écoles de journalisme ou à l'examen d'entrée à Sciences-po. Une année en *stand by*. Plutôt déprimant, au sortir de l'effervescence new-yorkaise. Je me sentais lourde, prisonnière d'une sorte de glu. J'avais peut-être fait le mauvais choix. Et j'avais cru que New York m'avait enlevé à jamais la peur de prendre le téléphone pour répondre à une petite annonce et chercher du travail. À Paris, la timidité me reprenait. On ne se contentait pas de me dire « Oui » ou « Non », on commentait... « Non, vous ne faites pas l'affaire. » Je me sentais de nouveau une « personne déplacée ». À New York, presque tout le monde est « déplacé », cela crée d'autres types de relations. Chacun a son expérience de l'« ailleurs », de l'arrivée dans une ville inconnue, dont on parle à peine la langue. J'y avais été moins étrangère que je ne l'étais à Paris. Je partageais un appartement avec des amis, rue Froidevaux. Les fenêtres donnaient sur le cimetière du Montparnasse. J'aimais cela, non par morbidité, mais pour la sensation de calme que dégage ce lieu. La tristesse de ma chambre ne venait pas de la vue sur les tombes, mais de l'orientation plein nord, ajoutée à mon humeur mélancolique. Pourtant, de temps en temps, je croisais Simone de Beauvoir. La simple vision de cette femme qui m'avait mise sur le chemin de la liberté aurait dû me consoler de New York. Bien au contraire. Elle-même, avait-elle eu vraiment raison de quitter son amant américain ?

De cette année parenthèse ne demeure qu'un souvenir de boulimie de livres et de cinéma – et de boulimie tout court, parfois –, de lecture intensive du *Monde*, le stylo à la main, pour constituer des fiches et préparer Sciences-po et le Centre de formation des journalistes. J'ai passé ces concours sans conviction. J'ai réussi les deux. Je ne le savais pas encore, cet été 1975 où j'étais seule à Paris. Je m'ennuyais, me sentais perdue et ne me donnais guère de chance de parvenir à faire le métier que j'avais choisi. Je pensais aux grands journalistes qui m'avaient convaincue de mon goût pour ce métier, me demandant si j'oserais prendre leur conseil. Jean Daniel ? Trop impressionnant... Pierre Viansson-Ponté ? Davantage encore. Et puis il y avait cet homme dont j'avais suivi le parcours à la télévision, avant de partir pour New York, Jean-Pierre Elkabbach. Il était plus jeune, plus incarné, à cause de l'image. Il était désormais sur France Inter, où je l'écoutais tous les midis. J'allais lui écrire, on verrait bien. Il a répondu par un coup de téléphone : « Votre lettre m'intéresse, venez me voir. » Il m'a encouragée, m'a spontanément invitée à assister à ses émissions, pour voir de près ce qu'était ce travail. J'y suis allée presque chaque jour, tout l'été.

À la rentrée, j'ai intégré le CFJ. En dépit du plaisir de retrouver des condisciples, donc une vie moins solitaire, je m'y ennuyais. Trop lent, trop théorique. Je devais être trop vieille, vingt-quatre ans déjà. Je supportais mal qu'on passe une heure à m'expliquer, de manière embrouillée, des choses que je pouvais apprendre en vingt minutes dans un livre. Alors je filais à France Inter pour être proche du « vrai » journalisme.

Elkabbach m'a proposé un stage, j'étais sur un nuage. Puis, en accord avec le CFJ, car cela me faisait manquer des cours, le remplacement de son assistante, malade. Avec lui, j'ai appris la réactivité et la rapidité. Certes, il n'était pas de tout repos. Enthousiasmant et exaspérant au-delà du raisonnable. Si j'étais trop lente, si je n'avais pas joint du premier coup la personne qu'il voulait inviter avant tout le monde, il lui arrivait de m'arracher le téléphone des mains en hurlant, en m'insultant, me traitant plus bas que terre. Mais si je réussissais, il n'était pas avare de compliments et d'encouragements. À la longue, et quand on n'est plus débutant, c'est certainement très pénible. Pour l'ignorante que j'étais, c'était une école exceptionnelle. Au fil des années, certains confrères que j'estime, voire des amis, m'ont dit le mal qu'ils pensaient de lui, ont pointé des comportements difficilement acceptables. Il en a certainement eu. Moi, je ne peux pas dire un seul mot contre Jean-Pierre Elkabbach. Je n'aime pas tellement le terme de mentor, ni de pygmalion, encore moins de père symbolique. Pourtant je peux dire qu'il a été pour moi une sorte de père professionnel. Le premier, car, par une de ces heureuses surprises qui ont jalonné ma vie, j'en ai eu un second.

7

Au commencement du *Monde*

À l'été de 1976, j'ai profité d'un stage à Québec pour filer quelques jours à New York avec mon amoureux de l'époque, rencontré au CFJ. J'avais la clé de l'appartement de Jack à New York et lui-même venait de rompre avec la fille qui m'avait succédé. Ou, plutôt, elle avait rompu. Il l'avait battue. J'avais bien remarqué qu'il était parfois en proie à des accès de fureur incontrôlée. Mais, devant moi, il se contentait de casser des objets, d'endommager des meubles. Peut-être est-ce parce que j'étais la seule femme qu'il n'ait jamais frappée que notre amitié a duré. Ses activités professionnelles demeuraient mystérieuses, mais semblaient prospères : la BMW avait laissé place à une Rolls. Blanche, ce qui n'était pas du meilleur goût. Mais j'avais quand même une délicieuse sensation de luxe en prenant le volant.

Retrouver New York à mi-parcours du CFJ avait ravivé mon envie d'y revenir. Pas pour me marier, conduire la Rolls et moins encore pour risquer de me faire tabasser, mais parce que je m'y sentais mieux qu'à Paris. Tandis que beaucoup de mes condisciples espéraient obtenir leur stage de fin d'année au *Monde*, moi je cherchais le moyen de retraverser l'Atlantique. J'allais sûrement écoper d'un stage de trois mois en province. Ensuite, même si on me proposait de m'embaucher, je m'en irais – en ce temps-là on n'avait pas la crainte d'être sans emploi. Évidemment, le stage au *Monde*, que je ne convoitais pas, je l'ai eu. Grâce, certainement, au « mauvais caractère » que me prêtait, à son tour, la direction du CFJ. Il se trouvait que je m'étais très bien entendue avec un journaliste du *Monde* plutôt ombrageux, Philippe Boucher. Il avait supervisé, au CFJ, mon enquête sur la délinquance des femmes. Il avait aimé mon travail et, sous une forme réduite, l'avait publié dans *Le Monde*, où il dirigeait le service des informations générales. L'année précédente, il avait « jeté » au bout de trois semaines la stagiaire venue pour trois mois. La direction de l'école, soucieuse de caser ses élèves, s'est dit qu'elle éviterait peut-être ce désagrément en m'envoyant au *Monde*, puisque le stage était de nouveau prévu dans son service. C'était judicieux. Mais je ne savais pas si c'était une chance.

Pourtant, en cet été 1977, tout semblait me sourire. J'allais toujours voir Jean-Pierre Elkabbach – il était alors à la télévision – et il me proposait de m'engager à la fin de mon stage. Quand j'ai appris que le directeur du *Monde*, Jacques Fauvet, me convoquait – sans doute pas pour me dire au revoir –, je craignais de le lui dire et de l'entendre tempêter : « Je t'offre du travail, et tu préfères Jacques Fauvet ! » Je me trompais, et je lui suis encore reconnaissante de ses paroles : « Si Fauvet te fait une proposition, surtout accepte-la. Car lui ne te la fera jamais plus, alors que moi, si. » Une « proposition », c'en était une, mais à la manière de Fauvet. Avec le temps, la scène paraît comique, mais ce jour-là je n'en menais pas large en traversant l'immense bureau qui avait été celui du fondateur, Hubert Beuve-Méry. Nous nous sommes assis dans des fauteuils. Il ne semblait pas tellement plus à l'aise que moi. J'ai eu droit à un questionnaire que seule la peur m'empêchait de trouver loufoque : « Vous habitez chez vos parents ? » « Votre loyer est très cher ? » « Vous n'êtes pas mariée ? » « Vous n'avez pas l'intention de le faire prochainement ? Et d'avoir un enfant ? Non que je sois contre le fait d'avoir des enfants, bien au contraire, mais... tout de suite... » Je ne comprenais pas où il voulait en venir. « Vous savez, le journal ne va pas très bien... » – déjà – « ... nous manquons d'argent.

Théoriquement, nous ne pouvons engager personne… mais enfin, il est parfois dommage de se priver de jeunes gens qui peuvent avoir ici un avenir… Donc, je vous propose… » C'était quelque chose comme 2 500 francs par mois – de l'époque. « Cela vous irait-il ? – Oui, bien sûr, merci monsieur. » De retour dans la rédaction, j'étais sonnée. Philippe Boucher, proche de Fauvet et artisan de mon engagement, aurait voulu que je saute de joie. Mes copains étaient furieux car on venait, le même jour, d'engager un autre débutant – un garçon – à un salaire supérieur. Moi, j'étais partagée entre la sidération d'être engagée au *Monde* – Jack me dirait qu'il l'avait prévu – et le sentiment d'y être coincée pour la vie. Comment peut-on décider de quitter *Le Monde* ? C'est devenu, semble-t-il, plus facile, de déchirement en déchirement. Autrefois c'était – mauvais jeu de mots – tout un monde.

Passons sur le petit manuel de l'apprentie journaliste, les papiers qu'on réécrit toute la nuit et qui sont toujours mauvais à l'arrivée, les moqueries des garçons, les plaisanteries d'un goût doûteux, que personne n'oserait aujourd'hui, sur ce que j'avais bien pu faire de ma nuit pour avoir les yeux si cernés… Un bizutage, peut-être plus anodin que les diverses chausse-trapes actuellement tendues aux débutants. Assez vite m'a saisie la sorte de folie attachée à ce journal, cette manière, un peu emphatique, de dire « *le* Journal », comme s'il était l'unique, ou « *le* Directeur »... Presque aussi vite, je me suis trouvée, sans y rien comprendre, au milieu de guerres intestines. Philippe Boucher en était le centre... Boucher, un personnage. Un caractère pire que le mien. Une école de formation à lui seul. Intraitable sur la précision du vocabulaire, le maniement du français, la rigueur de la construction, la clarté d'exposition. Pouvant, sans perdre patience mais avec un regard de moins en moins indulgent, faire refaire trois fois une brève. Pas sexiste, ne disant jamais : « C'est trop dur pour y envoyer une femme. » Il ne cachait pas son goût pour les hommes, mais entretenait avec moi des rapports de séduction très étranges. J'étais fascinée... Je l'ai avoué tardivement, bien que cette fascination ait duré un certain temps. Je ne regrette rien, ce n'est pas dans mes habitudes, mais cet emportement me privait de lucidité et lui se piégeait parfois dans ses propres manipulations.

« Pendant ce temps », comme disaient les cartons des films muets entre deux séquences, j'avais rompu avec mon petit ami du CFJ – en bon macho, il n'aimait pas que je sois au *Monde*, et pas lui ; mes rapports délirants avec la nourriture avaient repris – des périodes de jeûne total suivies de phases de boulimie, de frénésie de nourriture sucrée, pâteuse, gélifiée, où j'engouffrais de préférence tout ce que je détestais, pour me punir de ne pas pouvoir m'en empêcher... Jusqu'à ce que je me décide à aller voir un nutritionniste de génie, Marian Apfelbaum, qui m'a sauvée. Comme il disait avec son humour et son reste d'accent polonais : « La boulimie, c'est dégoûtant ; la gourmandise, c'est délicieux. Je vais te restaurer la gourmandise. » Depuis que je n'ai plus besoin de ses services, et qu'en outre il a pris sa retraite, il m'invite volontiers à exercer chez lui ma gourmandise retrouvée. Sûrement l'une des meilleures tables de Paris.

Prise dans les méandres de conflits qu'il serait fastidieux de détailler, à moins d'avoir une veine comique que je ne possède pas, je me suis retrouvée à la rubrique justice. Le côté institutionnel ne me plaisait pas, pas plus qu'Alain Peyrefitte, alors garde des Sceaux. En outre, mon look n'était guère conforme. À chaque conférence de presse, ou presque, on me demandait si je venais pour *Libération*... On a rapidement affecté quelqu'un de plus convenable à cette partie de la rubrique, et je me suis concentrée sur ce qui m'intéressait – les comptes rendus de procès et la question des prisons. La période était particulièrement passionnante. La peine de mort n'était pas abolie, mais les magistrats de la Cour de cassation, majoritairement abolitionnistes, décelaient toujours un vice de forme justifiant qu'on rejuge un condamné à mort. Le grand avocat abolitionniste Robert Badinter reprenait tous les dossiers. L'atmosphère de ces procès était électrique, les partisans de la peine de mort faisaient entendre leur voix. À Dijon, un matin, une femme est venue m'agresser, à l'entrée de la salle d'audience : « Je vous ai vue échanger des regards complices avec l'avocat de la défense, Robert Badinter. Cela ne se passera pas comme ça, je vais appeler mon oncle, qui est le directeur du *Monde*. » Était-elle une nièce de Jacques Fauvet ? S'étonnant de me voir si pâle, Robert Badinter m'interroge, me réconforte. C'est alors qu'arrive un homme que j'admirais, Frédéric Pottecher, chroniqueur judiciaire de légende. Il avait accompagné, avec sa bienveillance et sa faconde, mes premiers pas. Apprenant la raison de ma mauvaise mine, il me demande de lui montrer la femme en question et s'approche d'elle. Seuls ceux qui sont assez vieux pour avoir entendu Pottecher, à la radio et à la télé, mariant sérieux, précision impeccable, mots d'esprit et effets de théâtre, pourront reconstituer le son de cette phrase : « Madame, il paraît que vous avez dit des choses désagréables à ma jeune consœur du *Monde* en vous targuant de votre parenté avec l'un de ses dirigeants. Eh bien, sachez, madame, qu'on ne choisit pas sa famille, mais ses collaborateurs, si ! Alors, votre parenté… ! » Et nous sommes retournés aux choses sérieuses, à l'audience de la cour d'assises.

Les plaidoiries de Robert Badinter étaient toujours magistrales. Il mettait les jurés face à leur pouvoir de vie et de mort sur un homme. Il ne s'agissait plus de répondre à un sondage sur la peine de mort, mais de l'appliquer. Badinter, juste avant de se taire, fixait les jurés un à un, intensément, et leur disait : « Il est à Vous. Vous. Et Vous. Je vous le laisse. » Aucun n'a été condamné à mort. Certes, j'échangeais des « regards complices » avec Badinter, elle avait raison, la dame de Dijon. J'étais radicalement hostile à la peine de mort. Comme sans doute, un jour, à Toulouse, ces gens convaincus et bouleversés par la plaidoirie de Badinter, qui ont applaudi, oubliant qu'il y avait eu une victime. C'était obscène. La famille, calme jusque-là, a soudain hurlé sa douleur. Il a fallu évacuer la salle.

Quoi qu'on pense de François Mitterrand, il demeure pour moi le candidat qui a eu le courage de se prononcer pour l'abolition, dans une France où les sondages donnaient 80 % des habitants favorables à la peine capitale. Et le président qui l'a immédiatement fait abolir, en 1981, après avoir nommé Robert Badinter ministre de la Justice. Je préfère ne pas imaginer, télé-réalité et toutes formes d'exhibition galopantes aidant, ce que pourrait être, maintenant, un procès où un assassin risquerait sa tête. En théorie, et dans ses colonnes, *Le Monde* militait pour l'abolition. La réalité était parfois légèrement différente. Le seul de mes papiers qu'on ait refusé de passer avait un rapport avec la peine de mort. Je l'avais appelé « Le refus de la haine ». L'affaire était jugée dans une cour d'assises du nord de la France, réputée répressive. Un jeune homme avait tué un petit garçon. Peut-être le récit atroce de ce que l'assassin avait lui-même subi dans son enfance avait-il dissuadé le jury de le condamner à mort. Dans mon compte rendu, on sentait que j'approuvais ce verdict. J'aurais certainement dû faire un compte rendu plus neutre, et, à côté, le commenter. Mais on aurait pu gommer ce qui, dans mon article, relevait du commentaire au lieu de le mettre au panier. J'ai protesté – toujours mon sale caractère – et me suis entendu répondre : « C'est parce que vous n'avez pas d'enfants que vous vous êtes félicitée de ce jugement... » Péripétie, car *Le Monde* a bien mené le combat pour l'abolition, avec Philippe Boucher et le grand chroniqueur judiciaire qu'a été Jean-Marc Théolleyre : un homme discret et courageux, irréprochable. Résistant à seize ans, torturé – ses doigts en portaient la trace –, n'en parlant jamais. Je savais que si François Mitterrand était élu, je verrais certainement Robert Badinter monter à la tribune de l'Assemblée pour demander l'abolition. Comme Simone Veil l'avait fait courageusement sept ans avant, pour la liberté des femmes face à la grossesse.

La joie que nous sommes nombreux à avoir éprouvée, le 10 mai 1981, paraît, avec le recul, dérisoire. J'allais avoir trente ans, je n'avais connu, depuis mon enfance, pour faire court, que le même pouvoir gaulliste. Je reconnaissais à Giscard d'Estaing, d'ailleurs pas très gaulliste et même artisan du départ de De Gaulle en 1969, d'avoir voulu la loi Veil sur l'interruption volontaire de grossesse. Contre son camp – elle avait été votée grâce aux voix de la gauche. Mais il n'avait pas gracié les condamnés à mort. Ces exécutions le discréditaient. Lui qui s'était voulu un chef d'État moderne laissait la France à la traîne de l'Europe, avec sa guillotine. L'exécution du jeune Christian Ranucci, en 1976, était la plus scandaleuse, sa culpabilité pour le meurtre d'une fillette n'ayant pas été prouvée, comme devait le démontrer l'enquête de Gilles Perrault, *Le Pull-over rouge*. Mitterrand allait faire voter l'abolition et la gauche ouvrir les fenêtres d'une République qui, depuis 1958, sentait le renfermé. Je n'avais plus envie de quitter Paris, la France se réveillait. Si les ministres avaient parfois un côté « nouveaux riches » découvrant les ors de la République, la déception n'était pas encore à l'ordre du jour. Elle est venue… Avant que le présent ne redonne du lustre aux septennats de François Mitterrand.

J'avais trente ans et le sentiment d'avoir fait un peu de chemin. J'aimais le Palais, pas seulement les grands procès, mais les avocats, la défense, et les magistrats, qui avaient engagé une vraie réflexion sur leur rôle et leur pratique. Comme j'avais toujours envie de bouger, malgré tout, j'ai demandé, en 1982, une bourse de la Fondation franco-américaine pour passer quatre mois dans un journal américain. Ce fut le *Rocky Mountain News*, à Denver, Colorado. J'ai découvert l'Ouest – magnifique – mais aussi l'info locale et l'Amérique profonde, où l'on me disait : « *You love New York !! But New York is not America !* » C'est sûrement pour cela que j'aime tant cette ville...

Je commençais à avoir moins peur d'écrire dans *Le Monde*. Mais ce que d'autres voyaient comme un privilège – débuter dans un grand journal –, je l'avais d'abord vécu comme un handicap. Je pensais avoir été choisie par hasard, ou pour de mauvaises raisons. Je n'étais certainement pas à la hauteur, on allait s'en apercevoir. C'est au début de 1979 que je me suis sentie le plus mal : laide, grosse, incapable de devenir cette professionnelle que, moi, je respecterais. Au point même, en décembre 1978, d'avoir manqué le rendez-vous que Juliette Gréco m'avait donné, pour une interview. Elle chantait à l'Athénée et m'avait dit de venir « n'importe quel soir, vers 18 h 30 ». Je n'avais pas osé.

Alors, deux mois plus tard, entendre, au téléphone, chez moi, une voix me disant : « Bonsoir, je suis Juliette Gréco »... J'ai cru à une blague... Pourtant, cela avait l'air sérieux. J'ai bafouillé : « Comment avez-vous eu mon numéro de téléphone ? – Mais il était sur la lettre que vous m'avez envoyée pour me redemander un rendez-vous. » Pourquoi m'a-t-elle appelée à la lecture de ce mot, ce qui n'est guère dans ses habitudes ? Pourquoi, alors que nous devions seulement fixer un rendez-vous, nous sommes-nous, dès cette première conversation téléphonique, parlé plus longtemps qu'il n'était nécessaire ? « Peut-être, parce que j'ai entendu comme une sonnette d'alarme dans votre voix », m'a-t-elle dit un jour. Peu importent les raisons de ce petit miracle, puisqu'il nous permet, depuis bientôt trente ans, de rire ensemble, d'avoir même des fous rires irraisonnés sur des sujets qui n'amusent pas les autres, d'être sérieuses et futiles, joyeuses le plus souvent, et tristes quelquefois. Je ne sais pas parler des gens que j'aime, j'ai toujours une sensation d'indélicatesse, d'indiscrétion à leur égard, et d'exhibitionnisme au mien. Mais, à son propos, cela confine à la paralysie. Serait-ce parce qu'elle est un personnage public ? J'ai écrit, il y a quelques années, pour la réédition de son livre de mémoires, une préface... coincée, retenue, au point d'en paraître presque réticente. Quand j'ai accepté de faire un texte pour un livre de photos, j'ai essayé de dire avec plus de vérité pourquoi j'avais pour elle, non seulement de l'admiration, mais un infini respect. J'y suis un peu mieux parvenue. Quelques heures après avoir mis, au petit matin, le point final au texte, j'étais couverte de boutons...

Son courage, sa rigueur professionnelle, son énergie, son endurance, sa générosité, sa disponibilité, sa fragilité parfois... Tous ceux qui ont travaillé avec elle en ont parlé. Et la biographie qu'a écrite Bertrand Dicale en témoigne avec pertinence. Ce qui m'a étonnée, et séduite, d'emblée, c'est sa manière de déjouer tous les clichés auxquels je souscrivais moi-même sur les « célébrités »... Qui ne peuvent sortir qu'impeccablement coiffées, ne poussent jamais un Caddy dans un supermarché – sauf pour les photographes. Juliette Gréco, au contraire, fait, avec un parfait naturel, ces choses « normales » pour tout un chacun, incongrues chez les stars. « Star »... Le mot l'amuse toujours, comme si l'on parlait de quelqu'un d'autre. « J'ai été célèbre avant d'avoir fait quoi que ce soit, dit-elle souvent. Ensuite, il me fallait justifier cela. » Non seulement, depuis presque soixante ans, elle « justifie », mais elle a su exister sans s'enfermer dans la légende de « la muse de Saint-Germain-des-Prés », la fille brune quasi mutique qui, à dix-huit ans, hantait ce Saint-Germain-des-Prés de l'immédiat après-guerre. Si elle peut dire en plaisantant : « Je suis une mythe… » c'est parce qu'elle est restée une personne : elle sait où est le réel, où sont les apparences. Elle ne se ment pas.

Les attaques, les injures, elle en a eu sa part. Les conformistes l'ont toujours détestée : trop libre, trop farouche, trop profondément secrète. Au plus fort de mes désagréments, elle a toujours su, d'un mot, remettre chacun et chaque chose à sa juste place. Pas de longues explications, un minimum de psychologie, une description sèche de la situation et des protagonistes. Elle affirme – sans doute avec raison, bien que je le nie – que je finis toujours par trouver des excuses à ceux qui veulent me tuer. Pas elle. Si je résiste, finalement assez bien, à tout, je le dois aussi à la radicalité qu'elle m'oppose lorsque je menace de reculer ou de faiblir.

Elle n'a pas le goût du malheur, moi non plus. Elle n'aime pas la mort, moi non plus. Elle répugne à la familiarité, moi aussi. Nous ne nous tutoyons pas et je l'appelle rarement par son prénom. Elle déteste les plaintes, les jérémiades, les épanchements intempestifs, moi aussi. Elle est à la fois très civilisée et sauvage. Sauvage, moi aussi, et sans doute bien moins civilisée. Elle a un « caractère entier », comme disait ma grand-mère à propos du mien. Généralement, entre deux caractères de ce genre, l'atmosphère devient vite explosive. Nous, pendant toutes ces années, nous ne nous sommes querellées – assez vivement – qu'une seule fois. Peut-être, paradoxalement, parce que nous avons la même violence. Nous le savons. Elle nous rapproche et nous protège. C'est reposant.

8

La bonne étoile de Jean Genet

Un dimanche de 1978. Lequel ? Je ne sais plus, sinon que je reviens de New York où Barbara m'a fait rencontrer le très secret et peu disert directeur du *New Yorker*, William Shawn. À Paris, il fait gris et froid. Pour la première fois, j'assiste à l'une de ces grand-messes psychodrames dont *Le Monde* s'est fait une discutable spécialité. Assemblée générale de la société des rédacteurs. Il s'agit de savoir si l'on renouvelle pour trois ans, à sa demande, le mandat de Jacques Fauvet, soixante-cinq ans, comme les statuts de la société le permettent. Je suis médusée : on s'empoigne ferme. Tous les caciques sont présents, des hommes bien sûr – il n'y a que deux femmes dans la hiérarchie, la très séduisante Yvonne Baby, à la tête du service culture, et Jacqueline Piatier, au « Monde des livres », qui n'est alors même pas un service mais un département. La plupart me semblent vieux – peut-être l'étaient-ils moins que moi aujourd'hui – mais j'ai vingt-sept ans à peine. Je ne comprends pas tout, sauf que certains défendent la candidature de Pierre Viansson-Ponté – à son âge, c'est sa dernière chance de devenir directeur du *Monde*. De plus jeunes semblent également se mettre sur les rangs, pour « prendre date ». Je peux difficilement avoir une opinion, tant on fait allusion à des événements auxquels je n'ai pas pris part : je suis au journal depuis moins d'un an.

Il me semble toutefois que les adversaires de Fauvet sont assez majoritairement la « droite » du journal, mais je n'oserais pas risquer la moindre question. Soudain, demande la parole un homme de grande taille, au corps mou. Et, en conclusion de sa charge contre Fauvet, je l'entends formuler le reproche d'avoir publié à la une du *Monde* un article de Jean Genet, plutôt bienveillant à l'égard des terroristes allemands de la Fraction Armée rouge, la bande à Baader. Comment, dans le journal où je viens d'être engagée, et que je tiens pour un lieu d'excellence, peut-on envisager le refus d'un texte de Genet sans que la salle entière proteste ? C'est alors que, dans ce silence qui m'indigne, se lève un homme mince, chauve, qu'on me désigne comme François Bott – je peux enfin mettre un visage sur une signature familière du

« Monde des livres ». « Je serai bref, dit-il. Je voudrais seulement préciser, pour répondre à ce que je viens d'entendre, que lorsqu'on publie à longueur de unes des propos d'hommes politiques à la pensée médiocre et au style plus médiocre encore, on peut publier, au même endroit, un écrivain majeur, si injuste politiquement qu'on le trouve. » Celui-là, je voudrais l'embrasser.

À l'interruption de séance – en ces temps révolus, c'était pour fumer –, je vais le remercier. De sa voix douce, il m'interroge avec courtoisie sur mon entrée au *Monde*, m'encourage, me dit qu'il me lira, car il a la passion des faits divers et des comptes rendus de procès. Jacques Fauvet est reconduit, ce qui n'empêche pas que démarre une crise de succession agressive et périlleuse pour l'avenir. Je croise Bott dans les réunions. Moi, je ne prends toujours pas la parole, mais, le plus souvent, il dit ce que je pense. On devise aux interruptions, en fumant, lui sa pipe, moi une cigarette. On se croise rarement dans les couloirs : nous n'avons pas les mêmes horaires.

Un jour de l'automne 1982, à la cantine, un journaliste du « Monde des livres » me demande si j'ai vu Bott, qui veut me parler. L'après-midi même, il vient me voir, me redit qu'il lit mes articles et que, par nos rares conversations, il sait mon goût pour la littérature. Jacqueline Piatier prend sa retraite, il va diriger « Le Monde des livres ». Il a le choix entre engager un critique confirmé, ou recruter un jeune journaliste du *Monde* – ce qu'il préférerait, trouvant l'actuel « Monde des livres » trop État dans l'État, trop ghetto. Lui le voudrait plus en prise avec le reste du journal, et que l'information littéraire soit enfin considérée comme une information à part entière, et non comme une série de rubriques mi-décoratives, mi-exotiques, aux marges du « vrai » journalisme. Et si je souscrivais à son analyse, il aimerait que je rejoigne son équipe.

Encore une fois, me voilà face à une proposition inattendue. Je suis indécise. Certes, « Le Monde des livres » me permettrait de renouer avec une passion que j'ai mise de côté, mais il s'agit d'une publication hebdomadaire, et j'aime le quotidien, l'actu, les dépêches lues au petit matin. Je consulte mes amis proches, ils sont partagés. Le lendemain, mon chef de service, un rien agressif et ironique, me lance : « Alors, on vous veut au "Monde des livres" ? Bonne chance, car rien que dans la maison, il y a déjà douze candidats ! » Douze ? Je n'ai même pas vérifié. J'ai immédiatement appelé Bott pour accepter avec enthousiasme cette proposition que je devais, de fait, ... à Jean Genet. Il fallait, bien sûr, obtenir l'accord de la haute hiérarchie, mais l'équipe, sauf une personne, était pour ma venue – donc tout était possible. Pour le plaisir de relever le gant, j'aurais pu faire l'erreur de ma vie. Cela n'a pas été le cas, quoi qu'il en soit du point d'arrivée, en l'occurrence, du point de chute.

Je devais changer de bureau le 1er janvier 1983. À la fin décembre, Aragon meurt. La nécrologie, magnifique, est écrite par Bertrand Poirot-Delpech. Mais on demande au service des informations générales, où je suis encore, de faire le compte rendu de l'enterrement. Puisque j'allais partir vers les livres et les écrivains, assister à ces spectaculaires funérailles, comme les communistes savaient en organiser, ce serait une parfaite transition. Me voilà donc, un matin, place du Colonel-Fabien, dans l'imposant immeuble construit par le Brésilien Oscar Niemeyer. Une foule compacte se rassemble, pour passer devant le cercueil d'Aragon surmonté d'une immense photo de ce plutôt bel homme. J'étais émue de voir tant de gens, souvent jeunes, comme inclinés sur leur mémoire, venus là sans doute pour se souvenir qu'ils avaient été les contemporains d'un grand écrivain. Cela me rappelait cet ami emmenant son enfant à l'enterrement de Sartre et lui disant : « Plus tard, tu seras heureux d'avoir été là. » Ensuite, il y eut les hommages officiels, toujours assez ennuyeux – là je n'étais plus tellement émue –, puis le départ pour le Moulin de Saint-Arnoult, où je n'étais pas censée aller.

Mon bref article témoignait certainement d'une admiration vraie pour Aragon. Quelques jours plus tard, je croise Daniel Cohn-Bendit dans un café – nous nous connaissions depuis quelques années. Il attaque : « Qu'est-ce qui t'a pris de verser des larmes sur la mort d'une vieille crapule stalinienne ? » Je n'ai pas su répondre. Certes, je savais qu'Aragon, apparatchik du Parti, avait avalé beaucoup de couleuvres, porté haut la langue de bois et les inepties du réalisme socialiste, avant de se révolter, tardivement, après l'invasion de la Tchécoslovaquie en 1968, ce qui lui avait coûté son journal, *Les Lettres françaises*. Il n'avait malgré tout jamais rompu avec le Parti, comme le prouvaient ces obsèques. Mais moi, l'homme que j'avais enterré était celui qui m'avait séduite avec *Le Paysan de Paris*, troublée avec *Aurélien*, fascinée avec *Blanche ou l'Oubli* et *La Mise à mort*. Qui, enfin, m'avait étonnée en publiant, à près de quatre-vingts ans, un texte aussi novateur que *Théâtre/Roman*. Dans mon adolescence, je l'avais vu dans des émissions de télévision. Toujours avec sa femme, Elsa Triolet, au regard effrayant de froideur et à la feinte douceur de langage. Lui était comme absent, laissant la parole, surtout à Elsa. Il aurait peut-être voulu être ailleurs… Ancien surréaliste, il me paraissait beaucoup trop « clean », comme on ne disait pas encore, en costume-cravate. Mais toujours très beau, comme sur ces photos avec André Breton, dans les années 1920. En revanche, j'avais aimé le voir reprendre sa jeunesse à son cou après la mort d'Elsa, laisser pousser ses cheveux blancs, s'habiller chez Yves Saint Laurent, ce que la presse ne manquait pas de commenter de manière acerbe. J'avais croisé quelquefois dans Paris, dans les dernières années, ce vieil homme excentrique, un peu fou. Je le voyais surtout dans un restaurant du Marais, où j'allais uniquement dans l'espoir de l'apercevoir, toujours en compagnie de jeunes hommes.

Au moment de la mort d'Aragon, j'étais encore impressionnée par Angelo Rinaldi, alors critique à *L'Express*. Je devais alors croire que les critiques négatives sont une preuve de courage. Je n'en ai pas moins été scandalisée par son article haineux sur Aragon, qu'on venait d'enterrer. Ensuite, le lisant régulièrement, je le verrai démolir toute la littérature que j'aimais, de France et d'ailleurs. Le Nobel de Claude Simon, en 1985 ? Un coup « porté au prestige de la France » par « l'écrivain le plus ennuyeux et artificiel qui ait existé depuis la disparition de Casimir Delavigne ». Casimir Delavigne !... Était-ce sa cuistrerie qui valait à cet homme tant de louanges sur son « talent » ? Je l'ai vu comparer Michel Tournier à « Lefranc de Pompignan, dont l'infatuation amusait beaucoup Voltaire » et Marguerite Duras à Lucie Delarue-Mardrus et Rachilde – ce qui, outre l'absurdité du propos, prouvait une méconnaissance presque cocasse de l'insolente subversion des deux dernières. À relire ses articles vingt ans après, on constate que les livres ont disparu derrière les invectives sur les personnes, les « Paul Morand, la Pléiade à l'eau de Vichy » ou « Genet, Notre-Dame-des-Salauds »… Rinaldi n'a jamais fait mystère de son goût pour les hommes, déplorant même une pénurie d'homosexuels dans la littérature contemporaine, mais Genet n'était à l'évidence pas la bonne personne pour « la cause ».

En fait, j'ai toujours préféré le regard de Bertrand Poirot-Delpech, son goût de la découverte, sa curiosité, son ouverture. Malheureusement, comme Rinaldi et d'autres, il se voulait romancier, alors qu'il était surtout un remarquable journaliste. Il éprouvait donc quelques jalousies à l'égard de certains contemporains, mais la critique de démolition, sauf exception, n'était pas dans sa manière. J'étais très heureuse de commencer à travailler avec lui. Ce fut un nouvel apprentissage, angoissant aussi, mais moins douloureux que ne l'avaient été mes débuts au *Monde*. Seule la femme qui s'était opposée à ma venue cherchait à me mettre des bâtons dans les roues. Elle n'a réussi qu'à me donner un petit ulcère à l'estomac, vite guéri. Les autres faisaient tout pour m'aider à comprendre ce milieu littéraire et éditorial plein de codes et de chausse-trapes. Car il ne s'agissait pas seulement de lire des livres et d'en rendre compte, je devais prendre la mesure de l'économie de l'édition, de tout le réseau d'intérêts financiers et narcissiques qui l'entourait. Vaste programme ! François Bott était le contraire d'un chef mesquin et étroit, tout en élégance. Il était toutefois assez allergique au débat collectif, ce qui ne rendait pas les réunions très animées. En revanche, les conversations à deux l'étaient.

Poirot et Bott m'ont vite appris qu'il était beaucoup plus facile d'écrire une « descente » qu'une critique positive, incitative. Une « critique d'accueil », comme disait Jacqueline Piatier. Et qu'en se laissant aller à la férocité, on se faisait plaisir, on se délectait de ses bons mots, de ses phrases chocs. Pour ma part, j'ai toujours préféré admirer. Davantage, je considère qu'être capable d'admiration est un signe de qualité. L'ennui est que tout se passe comme si, ensuite, on était tenu par cette première approbation. Je me souviens de cet auteur dont j'avais mis le livre à la une sous le titre « Vive les romanciers intelligents ». Son livre suivant m'avait moins intéressée, et je l'avais dit. J'ai reçu une lettre d'injures dont je suis certaine qu'elle m'aurait été épargnée si j'avais été plus réservée sur le premier.

Dès mes débuts au « Monde des livres », j'ai entendu, prononcé avec plus ou moins de crainte, de respect, ou d'ironie distante, le nom de

Françoise Verny. À plus de cinquante ans, elle venait de quitter Grasset, où elle avait fait sa carrière, pour Gallimard. Un transfert tonitruant et diversement commenté : sa personnalité explosive, sa passion pour les « coups » éditoriaux semblaient bien peu compatibles avec la vénérable et distinguée NRF. Ce qu'on décrivait d'elle n'était pas fait pour me plaire : sa voix grasseyante, sa silhouette alourdie par les excès, son apparence négligée, la violence de ses propos après force whiskies en fin de journée – elle ne buvait jamais d'alcool avant 7 heures du soir.

Est arrivé l'automne 1983, la saison des prix, « mes » premiers prix littéraires. J'ai été invitée au dîner que donnait Gallimard pour le Femina de Florence Delay. Cette première sortie mondaine m'effrayait, mais je savais qui était Florence Delay, je l'avais lue dès son premier livre, grâce à une amie d'enfance, dont elle avait été le professeur, à l'université. On célébrait Florence Delay, mais c'était Françoise Verny qui occupait toute la place. Son physique d'ogresse, sa parole qui dominait toutes les autres, me laissaient dans un curieux état de sidération. Alors que j'aurais dû me présenter à elle, elle est venue vers moi. Immédiatement, elle m'a paru plus accueillante que tous ceux que j'avais rencontrés depuis janvier, et qui toisaient la « petite nouvelle ». Après le dîner, elle a proposé à quelques-uns, dont j'étais, d'aller finir la soirée chez elle. J'ai décliné mais elle ne m'a pas donné le choix. Moi qui croyais avoir déjà beaucoup « voyagé », dans divers milieux, en France et ailleurs, je n'avais jamais rien vu de tel. Une sorte de sultane entourée d'une cour bizarre. Lorsque, après plusieurs verres, elle s'est effondrée sur son canapé, la tête renversée, les habitués ont attendu quelques minutes, puis m'ont fait signe de lever le camp. Il me semblait indécent de la laisser ainsi. On a balayé mes scrupules d'un haussement d'épaules : « C'est comme ça tous les soirs. Et elle s'en sort très bien toute seule ! Ne discute pas, viens. » J'avais le sentiment que ces gens la méprisaient et n'avaient obtempéré à son invitation qu'en raison de l'influence qu'ils lui attribuaient. Je me suis demandé si je n'avais pas eu tort d'abandonner les tribunaux, avec leur cortège d'échecs et de tragédies, pour ce « milieu littéraire ».

Cette femme, que beaucoup craignaient sans l'aimer, me touchait. J'ai eu de la tendresse pour elle, ce qui déconcerte nombre de mes amis. Je peux le comprendre. Dès qu'on fréquentait Françoise Verny, du négatif était à l'œuvre. Elle se maltraitait depuis des années – alcool, renoncement intellectuel – et entendait imposer aux autres le même traitement. Sévrienne, philosophe – elle avait même déposé un sujet de thèse en théologie –, elle avait conscience d'avoir dévoyé son intelligence, donc en rajoutait sur la nécessité de ce dévoiement, sur le cynisme, les comportements volontiers mafieux, les colères et les injures à l'égard de personnes qu'elle cajolait la veille. Je réprouvais ce fond de mépris qu'elle montrait envers les écrivains construisant une œuvre, dans l'incompréhension parfois. Elle avait un diagnostic très sûr, jaugeait rapidement ses interlocuteurs, savait comment les mettre de son côté, ou comment leur faire mal. Je n'ignorais rien de tout cela. Et aussi qu'elle n'avait pas mis son énergie et son savoir-faire au service de créateurs au succès public incertain. Il fallait que tout se fasse du premier coup, les grosses ventes, les prix, comme s'il y avait urgence. Sans doute était-ce vrai pour elle : elle avait abandonné l'idée de la durée.

Certes, pendant ses quelques années chez Gallimard, qu'elle devait quitter pour Flammarion avant de revenir finir son parcours chez Grasset, elle n'a guère cherché à soutenir les grands écrivains de la maison. Plutôt à les neutraliser pour pousser ses poulains. Au moins a-t-elle accompagné Françoise Sagan dans l'édition de son livre le plus émouvant et le plus élégant, *Avec mon meilleur souvenir*. Et puis, à côté du petit clergé du milieu, les frileux, les hypocrites, y compris ceux qui se rendaient chez elle avec dégoût mais n'auraient pas manqué un dîner, de peur qu'elle ne leur nuise, j'aimais qu'elle ne s'économise pas, qu'elle fasse peu de cas du danger – social comme physique – dans lequel la mettaient ses débordements. À son égard, j'avais un principe : ou bien on se tenait totalement à distance d'elle, quitte à ne pas bénéficier de son « influence », ou bien on l'acceptait telle qu'elle était. Je crois avoir fait partie du tout dernier « carré », quand, désormais sans pouvoir, elle tentait pathétiquement de reconstituer une parcelle de son monde ancien.

Si quelqu'un a voulu être mon Pygmalion, c'est bien elle. Elle avait décidé de m'apprendre le sens du mot « carrière ». Quelques principes : d'abord en rabattre sur la volonté d'excellence – « Ce n'est pas parce qu'il y a une faute dans une brève du *Monde* que c'est une catastrophe. » « Tu devrais réserver tes colères pour les choses vraiment importantes » – sur ce dernier point, elle avait raison, il faut savoir hiérarchiser ses indignations, mais ni la tempérance ni la prudence ne sont des vertus cardinales que je pratique aisément. Souvent, le dimanche, elle me demandait de passer la voir, dans l'après-midi, « pour parler sérieusement ». Ce qui signifiait « avant l'heure du premier whisky », avant le moment où elle voulait tenter de ne plus voir la réalité, de faire sombrer sa lucidité, ou au contraire de ne plus la retenir et de dire à ses interlocuteurs ce qu'elle pensait d'eux – la plupart du temps beaucoup de mal. Son diagnostic sur ceux qui la fréquentaient par intérêt était implacable. Philippe Sollers, qui ne l'aimait guère, et c'est un euphémisme, a décrit cela au plus juste dans *Portrait du Joueur*, où elle apparaît sous les traits d'Olga Maillard : « Sachant ce que les autres ne veulent pas savoir sur eux-mêmes, détectant sur-le-champ leurs vulnérabilités, leurs désirs cachés... » Bien sûr, elle avait décelé immédiatement mes incertitudes, ma peur de n'être pas à ma place, d'être une imposture.

Je suis allée plusieurs fois à Belle-Île, où elle passait ses vacances. Quelques jours, car l'hôtel n'était pas dans mes moyens, en dépit du « prix d'ami » que me valait son intervention. Nous y étions sur la même longueur d'onde. La bicyclette, les bains de mer, le plaisir du soleil – trop faible pour moi en Bretagne. Nager dans une eau assez froide, tonique, pour se réconcilier – provisoirement – avec la vie. J'étais un peu inquiète de la voir s'éloigner avec moi du rivage, à cause de la manière dont, chaque soir, elle se traitait. Mais elle semblait indestructible. Cigarettes et whisky à outrance le soir, levée à l'aube, sans une trace de migraine ou de nausée... Puis bicyclette et natation. Elle exerçait sur moi une séduction paradoxale. Même lorsque ses excès conduisaient à des comportements que j'aurais dû juger indignes ou répugnants.

C'est justement à Belle-Île que j'ai rencontré Hector Bianciotti, à l'été 1985. Je l'avais croisé quelquefois aux soirées de Françoise Verny, et il m'avait déplu. Une sorte de hauteur, un accent argentin trop théâtralisé, de l'artifice. En outre, il passait de temps en temps au « Monde des livres » et ne me saluait pas. J'avais lu un seul de ses romans, *Le Traité des saisons*, traduit de l'espagnol, et un recueil de nouvelles, *L'amour n'est pas aimé*, dans lequel un texte était écrit directement en français. Mais je venais de découvrir son dernier livre, pas encore paru, écrit en français, *Sans la miséricorde du Christ*. Qu'un écrivain, à cinquante-cinq ans, change de langue, m'intriguait. Je voulais comprendre ce qui avait provoqué, chez Bianciotti, ce choix. Avoir un entretien avec lui, avant tout le monde. Je suis donc allée à Belle-Île, où il était en compagnie de Françoise Verny. Là, il ne m'est pas apparu comme le mondain affecté de mon souvenir. Il n'était pas très performant à bicyclette, et pas meilleur en natation, ça le ramenait à une dimension normale. Il était avec son ami du *Nouvel Observateur*, Jean-François Josselin, qui habillait son désespoir d'un humour acide. Hector Bianciotti savait observer, retenant d'emblée le geste, le mot, le détail qui révèle ce que chacun tente de dissimuler. À son regard, à ses prévenances, je sentais qu'il me percevait comme une « personne déplacée ». Peut-être parce qu'il en était une aussi. Je n'étais là que pour deux jours – il fallait ménager les finances du journal – dans cet hôtel de luxe. Le deuxième jour donc, interview. Pourquoi avoir décidé d'écrire en français ? Il lui semblait que la syntaxe de l'espagnol l'avait quitté, que tout était recouvert par le français, qu'il parlait constamment. C'est en français qu'il rédigeait depuis des années ses notes de lecture, pour Denoël, puis pour Gallimard, c'est en français qu'il écrivait des articles pour *Le Nouvel Observateur*. Il n'avait pas vraiment choisi, le français s'était imposé. Il m'a avoué ensuite que plus l'entretien avançait, plus il s'inquiétait de me voir prendre si peu de notes. Soit je ne comprenais pas ce qu'il m'expliquait, soit je trouvais son propos sans intérêt.

Je n'ai rien vu de cela, et j'ai repris le bateau pour le continent. L'article a paru à la une du « Monde des livres », sous le titre « Hector Bianciotti, écrivain français ». Une presse plutôt enthousiaste a suivi, et il a obtenu le prix Femina. Ce fut le début d'une amitié enchantée, qui l'a conduit, dès 1986, à abandonner *Le Nouvel Observateur* pour *Le Monde*. Amitié ou plutôt amitié amoureuse, avec un homme qui préférait les hommes ? Relation de séduction intense à coup sûr. Et de jeu. Les femmes ne l'intéressaient pas sexuellement, mais esthétiquement, si. Il aurait pu être couturier, il aimait conseiller ses amies sur leurs toilettes – un goût très sûr, raffiné, mais assez « fémininement » classique. Il avait la passion des soieries, de toutes les étoffes précieuses. J'ai, grâce à lui, une assez imposante collection d'étoles et de châles. Nous avons beaucoup ri ensemble. À dîner, après quelques verres, nous nous faisions des confidences, nous disions des horreurs sur certains, sachant que tout cela resterait entre nous. Il me voyait comme un petit soldat conquérant. Il aimait que ma passion du combat, de l'affirmation de soi comme femme libre – pas nécessairement le genre de femme qu'il appréciait – ne m'ait pas privée de mon goût pour ce qui, à ses yeux, signait la féminité : les vêtements, les colifichets... J'en parle au passé et pourtant cette amitié est toujours là, mais, à cause de la maladie, elle n'a plus de mots ni de rires.

Françoise Verny se moquait gentiment de mes amours avec le bel Hector. Mais elle se préoccupait surtout de me faire comprendre comment survivre dans cette microsociété littéraire, que, selon elle, je refusais de voir telle qu'elle était : « Tu n'arriveras à rien si tu t'y prends ainsi. Et ça finira mal. » Moi, je trouvais que tout allait plutôt bien, Bott m'avait prise comme adjointe, il souhaitait que je lui succède un jour à la tête du « Monde des livres ». Mais Verny connaissait à fond le milieu et ses jeux. Elle savait que, si on les refusait, si on affrontait au lieu de biaiser, on courait à sa perte. Elle tentait de me prévenir et je ne l'écoutais pas. L'avenir lui a donné raison, mais j'étais réfractaire, incapable de me couler dans le moule, de me plier à ces supposées « stratégies » qu'elle décrivait, avant de conclure : « Il faut accepter, c'est comme ça. » Voilà bien ce que je ne pouvais pas entendre, et qui me ferait dire à Marguerite Yourcenar, en 1987, dans le secret de son jardin, que je voulais partir, changer de métier. Elle m'a proposé une alternative : continuer à faire mon travail comme je le souhaitais, et trouver un lieu où me replier – « une île, de préférence ». De Yourcenar, dont les livres l'ennuyaient, Françoise Verny se moquait assez méchamment. Elle ne partageait aucun de mes enthousiasmes, ni Simone de Beauvoir (bien qu'elle ait tourné, avec Josée Dayan, un documentaire sur elle), ni Philippe Sollers, ni Philip Roth – elle était indifférente à tout ce qui était lointain –, ni Juliette Gréco, pourtant amie de longue date de Sagan – elle l'avait même agressée, à une fête d'anniversaire, un soir de « grand vent » –, ni Edwige Feuillère, qu'elle tenait pour une vieille actrice démodée.

Elle ne tolérait que mon amie Monique Nemer. Je la lui avais pourtant présentée avec crainte, car elle incarnait tout ce dont Françoise Verny s'était détournée, à commencer par la rigueur intellectuelle. Monique Nemer, j'avais entendu parler d'elle bien avant notre rencontre inattendue, en 1981. Pour mes amis agrégatifs, son nom était une sorte de sésame. Si l'on voulait avoir une chance au concours, il fallait avoir suivi son cours de littérature comparée. On s'y bousculait, on l'enregistrait... Cela aurait dû exciter ma curiosité. Mais je venais d'être engagée au *Monde* et ma peur de l'échec, une fois de plus, m'occupait à plein temps. La seule fois que je l'avais aperçue, chez des amis qui fêtaient leur toute neuve agrégation, elle était entourée de jeunes gens éperdus d'admiration. Sa parole s'imposait. De loin, j'entendais surtout son timbre et son phrasé, une voix magnifique, légèrement voilée par le tabac... J'avais presque oublié cette soirée, de 1978 je crois, lorsqu'elle a souhaité me rencontrer. Elle venait d'être tirée au sort comme jurée à la cour d'assises de Paris, savait que je travaillais à la rubrique justice du *Monde* et voulait comprendre un peu le fonctionnement d'un procès.

Dès ce soir-là, nous n'avons pas parlé que de justice. Elle représentait superlativement ce à quoi j'avais renoncé, dans mon emportement journalistique : la passion pour la littérature, le travail minutieux sur les textes, le refus des jugements superficiels, le sérieux de l'université, qui ont toujours forcé mon respect. Je comprenais les jeunes gens fascinés que j'avais regardés naguère avec une certaine ironie. Elle m'impressionnait par sa rapidité, sa puissance intellectuelle, l'élégance de son propos, son singulier esprit de synthèse. Elle m'impressionne toujours. C'est la femme la plus intelligente que je connaisse. Je me sens un peu « primaire », à côté d'elle. Mais son sens aigu des nuances n'est pas toujours, pour elle, un avantage. Elle est dépourvue de cette violence brute qui m'aide à résister aux coups. « Monique n'est pas comme nous, me disait Françoise Verny, elle ne sait pas que le mal existe... » Je crois qu'elle a appris. Notamment avec Françoise Verny. Celle-ci, en arrivant chez Flammarion, a demandé à Monique Nemer de la suivre. Prendre du champ avec l'université – où elle n'avait plus rien à se prouver – et commencer, à quarante-huit ans, une autre vie, voilà bien un défi qu'elle ne pouvait manquer de relever. Et voilà bien une décision que je n'aurais jamais prise : travailler avec Françoise Verny. Sous des dehors moins agressifs, Monique Nemer était plus courageuse que moi. Sa générosité, son écoute, ses relectures patientes, impitoyables aussi – j'en avais fait l'expérience en lui demandant son avis sur certains de mes articles –, allaient sûrement faire d'elle une éditrice appréciée. Mais quel attelage improbable, une droguée aux coups éditoriaux et une amoureuse de littérature.

Les jeunes écrivains que je défendais ne plaisaient pas non plus à Françoise Verny. Et, le plus souvent, ceux qu'elle encourageait m'intéressaient médiocrement. Nous évitions le sujet. Un jour, cependant, elle a insisté pour que je parle d'une femme qu'elle venait de publier. Je l'ai fait, dans un article où je traitais deux autres livres. En dépit du titre, « Ouvrages de dames », je pensais avoir été très – trop – gentille, en un mot avoir écrit une critique de complaisance. Non sans honte. Cela m'a valu un coup de téléphone de Françoise Verny. Pas du tout pour me remercier : « Je ne t'en veux pas, chérie, mais surtout ne fais plus jamais de papiers que tu crois de complaisance ! Tu ne sais pas faire. Mon auteur ne veut plus me parler : pensant que j'ai de l'influence sur toi, elle me rend responsable de ton article. »

Une seule fois, j'ai senti chez Françoise Verny une véritable pulsion de haine à mon endroit, devant mon refus d'aller « dans le sens du vent ». C'était en 1990, au moment de la succession d'André Fontaine à la direction du *Monde*. Elle affirmait savoir qui allait gagner – et ce ne serait pas mon candidat, Jean-Marie Colombani. Il aurait donc fallu « laisser tomber » et se rallier au potentiel vainqueur. Lorsque j'ai refusé, j'ai bien vu qu'elle avait envie de me frapper, pensant que, définitivement, « on ne ferait rien de moi ». Surtout, puisqu'elle avait décidé, un jour lointain, de renoncer à ses convictions intellectuelles et morales, on se devait d'en faire autant. C'était, sinon, la renier implicitement. La conversation s'est arrêtée là. Ce n'était pas une rupture, mais quelque chose était cassé. Nous n'avons pas cessé de nous voir pour autant, mais chacune comprenait de moins en moins les choix de l'autre. « Stratégiquement », j'étais à ses yeux une imbécile. Et elle qui se faisait une gloire d'être juste une « accoucheuse », ce que j'admirais, se mettait à écrire. Des mémoires étaient légitimes : elle était la première femme à avoir eu ce parcours dans l'édition. Mais les tribulations de son retour vers Dieu, à la fin de sa vie – elle est morte en 2004 –, me laissaient perplexes. J'ai fait une critique assez terrible de son dernier livre, *Pourquoi m'as-tu abandonnée ?* Elle m'a appelée, et j'ai retrouvé la Françoise Verny que j'aimais : « Chérie, tu es dure, mais juste. Tu as raison, la haine de soi est mauvaise conseillère. Mais, pour moi, il est trop tard. » C'est le souvenir de cette lucidité que je veux garder.

Quand est arrivée la dernière salve de la calomnie, Françoise Verny avait quitté la scène, elle vivait retirée dans un lieu où elle ne se préoccupait plus du monde extérieur. Nous n'avons donc pas pu en parler. Elle y aurait sans doute vu la sanction – logique – de ma réticence à l'égard de ses conseils de prudence. Toutefois, je doute qu'elle se soit rangée du côté des médiocres. Comme Hallier, quand elle passait à l'invective, elle le faisait frontalement, elle se mettait en danger. Elle ne cherchait pas l'assentiment général. Certes, tout en détestant l'époque, elle l'a accompagnée, a joué des faiblesses, des lâchetés et des compromissions, mais, si elle avait été aussi cynique que le disent ses ennemis, elle aurait sûrement moins bu.

C'est chez elle que je voyais souvent Claude Durand, le patron des éditions Fayard. Il habitait le même immeuble cossu du VIIIe arrondissement, quelques étages au-dessus. Si on peut me faire un reproche dans ma manière de diriger « Le Monde des livres » pendant les premières années, c'est de ce côté qu'il faudrait chercher. Je portais sûrement une attention trop grande, et sans assez de distance, à la production de Fayard. Quand il déjeunait professionnellement avec moi, Claude Durand avait en main son programme. Il marquait d'une croix les livres « dont *Le Monde* ne peut pas ne pas parler ». Son calme, son intelligence, m'en imposaient. On le décrivait « taiseux » et il semblait apprécier ma compagnie. J'en étais flattée... Il est le seul éditeur avec lequel j'ai eu des relations d'amitié qui excèdent les bons rapports professionnels. Il m'invitait à des fêtes intimes, des anniversaires. Je faisais de même. Monique Nemer, après avoir travaillé avec Verny, l'avait rejoint. Malgré mon admiration pour les qualités d'éditeur de Durand, je le lui avais déconseillé... Par instinct plus que par raison.

Il me laissait croire que nous étions liés par une complicité silencieuse : nous venions d'ailleurs et nous ne serions jamais vraiment admis dans le sérail. Souvent, je dis : « Il m'a eue sur le social. »

C'est vrai. Il avait créé un lien imaginaire entre nous, fondé sur l'origine sociale. En principe, je ne consens jamais à ces injonctions : « Nous sommes proches, nécessairement, parce que nous ne sommes pas de "leur" monde. » Comment ai-je pu tomber dans un tel piège ? Et c'est justement lui, le seul éditeur se disant mon ami – j'ai eu de très amicales relations avec d'autres, mais professionnelles –, qui a armé contre moi la pire machine de guerre, un livre, *La Face cachée du* Monde, avec un chapitre à l'évidence inspiré par lui, « La police littéraire », qui me concernait au premier chef. Je ne veux pas le relire. Un de ses amis, feignant de ne pas comprendre pourquoi je disais ne plus vouloir lui adresser la parole, m'a longuement expliqué qu'il n'avait pas voulu me tuer. Il voulait tuer Edwy Plenel, alors directeur de la rédaction du *Monde*. Je n'aurais été qu'un « dommage collatéral ». Est-ce ce qui me pousse à raconter cette aventure, le refus d'être un dommage collatéral, une victime atteinte « par mégarde » ? Peut-être. Tout en sachant, désormais, qu'il n'y a rien à faire pour combattre la malveillance. Qu'on parle ou qu'on se taise, on est perdant.

La Face cachée du Monde, c'était le « commencement de la fin » et, pourtant, j'en doutais encore. J'avais toutefois obéi à Marguerite Yourcenar : j'avais trouvé un lieu où être, tout à mon aise, cette « huître » à la coquille trop close que décrit une de mes amies – mais les huîtres ouvertes, je sais ce qu'il en advient : on les mange. Une île qui, précisément, est le paradis des huîtres... Et je continuais de me battre pour travailler selon mes convictions. Ma façon d'exercer mon métier avait peu à voir avec ce que je lisais sous la plume des calomniateurs. Et il demeure un bonheur, même si leur vacarme inepte a abouti pour moi à un désastre professionnel.

9

Petites balades miraculeuses

Si les désagréables péripéties de ma vie n'avaient fini par me mettre, d'une certaine manière, à terre, elles seraient restées à l'état de vagues souvenirs, relégués loin derrière les merveilles de ce métier, les rencontres improbables, les imprévues, les inoubliables, les moments d'enchantement dérobés aux contraintes quotidiennes. Je ne peux pas en faire la liste, ce serait un catalogue. Autrefois, quand je lisais des livres d'entretiens ou de souvenirs, j'enviais ceux qui avaient eu la chance de parler avec Hemingway ou Faulkner, de franchir la porte de Virginia Woolf, de passer un week-end à Key West avec Carson McCullers et Tennessee Williams, de croiser Proust dans une soirée, ou Ezra Pound à Venise, de se retrouver dans un bled perdu avec un écrivain désormais oublié qu'ils donnaient envie de redécouvrir. Bien sûr, je savais que tout cela demeurait secondaire, qu'il fallait en revenir aux textes et au véritable travail critique – pas journalistique. Mais j'aimais cet envers du décor, ces incursions qui donnaient un corps et une voix aux écrivains qui m'enthousiasmaient. Bien plus tard, j'apprendrais que Marguerite Yourcenar elle-même, en dépit de son dédain affiché pour le « misérable petit tas de secrets » qu'est une biographie, disait qu'elle aurait « tant donné » pour avoir la chance de connaître le Grec Constantin Cavafy, qu'elle avait traduit, ou Thomas Mann, avec lequel elle n'avait eu qu'une brève correspondance.

Cette chance, je l'ai eue. Il me reste des centaines de journées de bonheur, des milliers d'images dans la tête, des voix, des rires, des affrontements parfois – et quelques déceptions. Du côté du rire, Dominique Rolin, sur laquelle je ne peux plus m'autoriser à écrire d'articles, tant, d'entretien en entretien, nous en sommes venues à une amitié complice, joyeuse, enfantine parfois. Du côté des rencontres manquées, je ne retiendrai que ce matin de janvier 1985 avec une Simone Signoret agressive et méprisante, furieuse de voir arriver « la bonne » – elle n'a évidemment pas dit cela, mais c'est ce qu'elle pensait – au lieu du prestigieux Bertrand Poirot-Delpech, auquel elle estimait avoir droit. Envoie-t-on les bonnes chez les stars ?

C'était assez désagréable, et, surtout, je tombais de haut, du haut de mon respect pour cette femme. Et je perdais certaines illusions sur mes admirations, ce qui était sans doute salutaire. Il y a eu aussi quelques tracs mémorables : au fond – c'est un lieu commun –, comme souvent les êtres volontiers agressifs et provocateurs, je suis timide. Je tremblais presque dans ce bureau de l'université de Princeton, face à l'imposante guerrière qu'est Toni Morrison, pas vraiment chaleureuse, du moins d'emblée : elle tient à prendre d'abord le temps de jauger son interlocuteur.

Mon entretien le plus glacial n'est pas lié à la personne mais à la météo. Il faisait moins vingt-huit dans le Vermont en janvier 1988 quand je suis allée voir Howard Frank Mosher, traduit pour la première fois en français – et jamais depuis. *Québec Bill Bonhomme* était une sorte de roman d'aventures au temps de la prohibition. J'avais aimé cette atmosphère d'« irréalité » que lui avait reprochée la critique américaine. Comme son héros, Mosher vivait dans le Vermont, à vingt kilomètres du Canada, dans le comté de Kingdom que borde le lac Memphremagog. J'avais atterri à Montréal et loué une voiture. Malgré le chauffage, il y faisait un froid terrible. Et il fallait voir la tête des gardes-frontières quand une fille seule, dans une trop petite voiture de location, une fin d'après-midi de janvier – donc de nuit –, leur avait expliqué, avec un accent français, qu'elle entrait aux États-Unis pour aller interviewer un romancier... Le soir, au coin du feu, nous avons parlé. Mosher m'a expliqué pourquoi il se plaisait dans cette région de frontière, le dernier coin de Nouvelle-Angleterre où tout était encore comme au temps de Québec Bill. On peut y faire des dizaines de kilomètres à travers bois sans trouver la moindre route. Et, comme les montagnes tombent directement dans le lac, il est impossible d'y construire, donc de tout saccager avec des résidences secondaires. Le lendemain matin, il avait voulu me montrer ce pays qu'il aimait. Mais j'étais trop tétanisée par le froid pour en apprécier la beauté. Et puis je ne devais pas m'attarder. Il me fallait reprendre la route en direction du Maine. J'allais assister à la cérémonie à la mémoire de Marguerite Yourcenar, morte le 17 décembre 1987, et qui avait voulu réunir ses amis dans l'église de l'Union de North East Harbor, sur l'île des Monts-Déserts. Il ne faisait plus que moins dix, et un soleil magnifique. Mes amis français, qui savent combien je suis pathologiquement frileuse, n'en revenaient pas de m'entendre dire « il fait doux ici ».

Marguerite Yourcenar, une fois de plus, avait tout planifié. Les textes qui devaient être lus, les musiques qui devaient être jouées. La seule intervention qu'elle n'avait pas pu contrôler était l'hommage qu'allait lui rendre un de ses traducteurs, Walter Kaiser. J'en aime particulièrement cette phrase : « Elle savait les empires éphémères, les amours fugitives, la terre elle-même périssable. » Et la conclusion : « Et en ce jour où nous lui disons au revoir, je voudrais pour elle prononcer cette ancienne formule propitiatoire, qu'Hadrien sans nul doute connaissait : "*Sit tibi terra levis Margarita*". Puisse la terre, cette terre que vous avez aimée d'une si profonde tendresse, être sur vous infiniment légère, Marguerite. » Si convenue soit-elle me touche l'idée de cette terre qui n'étouffe pas la parole des morts – du moins, de ces morts-là –, ne les contraint pas à la pesanteur du silence éternel.

En revanche, je ne sais plus quel jour j'ai eu le plus chaud lors d'une rencontre avec un écrivain, tant j'aime les chaleurs excessives... C'était peut-être à New York, à Manhattan, dans la moiteur de l'été et les fumées brûlantes qui sortent du sol, pendant une longue et passionnante promenade avec Jerome Charyn. Mais je me souviens très bien que, ce jour-là, mes chaussures me faisaient affreusement mal aux pieds, ce que je n'aurais avoué pour rien au monde, car marcher à son côté, l'entendre raconter sa ville, pour laquelle j'ai moi aussi une passion, était un très beau cadeau. À New York toujours, ce fut une singulière émotion d'écouter, en 1987, le long et si frêle William Maxwell, presque quatre-vingts ans, qui me parlait moins de lui et de son livre enfin traduit en France, *Comme un vol d'hirondelles*, que de tous les écrivains qu'il avait défendus et publiés, au *New Yorker*, où il avait eu la responsabilité du département fiction pendant quarante ans, à partir de 1936. Particulièrement des femmes que la France négligeait encore, Sylvia Townsend Warner, Mavis Gallant – qui pourtant habite Paris. J'aimais que ses auteurs favoris – si l'on exceptait les poètes, Yeats tout particulièrement – soient presque tous des femmes, notamment Virginia Woolf, Elizabeth Bowen, Colette, Zona Gale, « que plus personne ne lit aujourd'hui », ou Marguerite Yourcenar, dont il osait à peine avouer à une Française qu'il venait de la découvrir, m'a-t-il dit. En me raccompagnant, il m'a confié ne pas souhaiter vivre trop longtemps. Son père, presque centenaire, lui avait assuré que ce n'était pas vraiment une bonne chose... Il n'avait aucune envie de voir les années 1990 et me signifiait donc que nous ne nous reverrions pas. Je ne l'ai pas revu, mais il n'a pas été exaucé : il est mort en 2000.

La plus farouche, celle dont j'ai cru qu'elle allait me renvoyer sans me dire un mot, bien que j'aie fait un long chemin jusqu'à sa demeure de Rapallo, près de Gênes, c'est Anna Maria Ortese, en 1988. Une femme de petite taille, soixante-treize ans, habillée sans recherche, les cheveux gris enserrés d'un turban, et barricadée derrière ses lunettes à verres fumés. La porte à peine ouverte, elle est sur la défensive. Elle a refusé toutes les interviews qu'on sollicitait en Italie, à l'occasion du prix Elsa-Morante qui venait de lui être décerné. Du seul entretien qu'elle ait accepté – avec *Le Monde* –, elle se repent déjà. Elle affirme volubilement n'avoir rien à dire. Je laisse passer l'orage. Elle a convoqué une traductrice, qui lui répète mes questions. Ses réponses, je les comprends, généralement. Moi, j'en dis le moins possible. Alors, elle se met à parler. Magnifiquement, comme si elle composait, au seul profit de qui l'entend dans l'instant, un long poème lyrique. Soudain, elle se repent encore, s'interrompt et s'accuse de proférer des banalités. On conçoit qu'elle puisse provoquer une exaspération immédiate, tant elle se met d'emblée hors jeu, se défaussant ainsi de la nécessité de répondre à une interlocutrice. Mais ses repentirs, son malaise, son indécision dans la forme, sa certitude quant au fond, cela me plaît. Et j'ai passé l'après-midi dans cet appartement modestement confortable d'une rue un peu excentrée de Rapallo. Je regrette de n'avoir pas essayé d'y retourner, pendant les dix années qui lui restaient à vivre.

Moi qui ne tiens pas de journal, qui jette la plupart de mes notes et de mes cassettes d'entretiens, sans trop savoir pourquoi, sans doute par peur de ce qui demeure, et pour conforter ma certitude que l'éphémère est une valeur, journalistique du moins, je m'étonne de garder si vifs des souvenirs si lointains. Heureusement que j'en ai de plus récents, sinon je craindrais d'être atteinte de quelque maladie effaçant la mémoire immédiate. Par exemple, ma promenade irlandaise avec Michel Déon, en 2006. Je vois encore les couleurs d'automne dans cette forêt où l'on pourrait si facilement se perdre, malgré les sentiers fléchés dont il est un initiateur. Il en connaît tous les chemins, et même tous les arbres. Il fait une longue marche chaque matin, là ou dans un autre coin de sa campagne irlandaise, dans le comté de Galway. Si l'Irlande de Déon m'a été pacifique, celle de Michel Houellebecq, l'île de Bere Island, où il vivait en 2001, quand a paru *Plateforme*, me fut très agitée. Une tempête énorme, la voiture secouée, la jetée que je voyais à peine, tôt le matin, d'où je devais repartir vers Cork et la France, et le ferry qui n'arrivait pas. Après une soirée très arrosée et une assez mauvaise nuit – trop de vent – dans sa maison blanche et rouge qu'il avait baptisée The White House et qui était l'ancien *bed and breakfast* de l'île, je me sentais près de basculer dans un roman noir, genre *Dix Petits Nègres*, en plus trash... Le patron du ferry avait peut-être été assassiné et les quelques « étrangers » à l'île, condamnés à s'entretuer. Non, il n'avait simplement pas entendu son réveil...

Ma plus récente rencontre heureuse s'appelle Doris Lessing – c'était en septembre 2007, juste avant son Nobel. Cela faisait plus de vingt ans que j'avais écrit pour la première fois un article sur elle, en prévision de ce Nobel dont il me semblait impensable qu'il ne lui soit pas attribué. Je l'avais réactualisé une bonne dizaine de fois, puis jeté, pensant qu'elle était désormais trop vieille – quatre-vingt-huit ans en octobre – et ne l'aurait jamais... Je n'avais pas lu *Le Carnet d'or* en anglais, bien qu'elle fût devenue, grâce à lui, à son corps défendant, une icône féministe. J'en avais attendu la traduction tardive, au milieu des années 1970. Ensuite j'avais presque tout lu, sauf ses romans de science-fiction – un genre auquel je ne comprends rien. J'avais découvert avec passion, en 1995, le premier des deux volets de son autobiographie, *Dans ma peau*, où, à la dernière page, elle conclut : « J'étais née de mon propre être – du moins je le croyais. » J'avais essayé à plusieurs reprises d'aller la voir chez elle, à Londres – il y avait toujours un empêchement. Et j'avais cessé de demander un rendez-vous, plusieurs consœurs m'ayant dit combien leurs entretiens avec elle avaient été rudes. Mais puisque, cette fois, elle venait à Paris, je ne pouvais pas me dérober. Je me réjouis d'avoir surmonté mes craintes. Ce regard aigu et lumineux, qui peut devenir en une seconde ironique et distant, m'a rappelé Marguerite Yourcenar. Elle ne m'a pas fait passer un examen sur son œuvre, comme l'avait fait Yourcenar en 1984, mais je voyais bien qu'elle était attentive aux erreurs que je pourrais faire, aux sottises que je pourrais proférer. Elle a gardé intacts son humour et sa combativité : un bien bel exemple.

Ça y est, je suis en train de faire une liste de mes bonheurs de journaliste. Il faut que je m'arrête. Je ne peux pourtant pas laisser de côté la soupe au goût d'enfance que j'ai mangée avec Jacques Chessex, en février 2008, dans l'unique café-restaurant de Ropraz, en Suisse, à deux pas de sa maison. Ni la journée caniculaire d'août 1997, chez Claude Simon, à Salses, près de Perpignan, où j'avais organisé un entretien entre lui et Philippe Sollers – Simon avait écrit dans *Tel Quel* dès le premier numéro. Pour le dîner, il a lui-même cuit des côtes de porc sur un feu de bois. Sa femme et moi avons peu parlé, nous les écoutions, Sollers et lui. Inoubliable, deux écrivains qui se comprennent au plus juste de la littérature et de la sensation.

Et toutes ces ombres, presque des fantômes… Fausta Cialente, vieille femme égarée dans l'appartement londonien de sa fille : on ne m'avait pas prévenue qu'elle avait la maladie d'Alzheimer. Nina Berberova, conduisant vite et mal dans les rues de Princeton, et moi qui n'en menais pas large. Françoise Sagan, rue du Cherche-Midi, au début des années 1980, m'expliquant que, non, elle n'avalait pas les mots, qu'elle les disait tous, mais trop vite, et que, pour tout entendre, il suffisait de faire défiler la bande du magnétophone plus lentement. C'était vrai. Elle avait alors une voix plus grave, mais tous les mots y étaient. Pendant notre conversation, je tripotais un objet pris sur la table basse, cela m'arrive souvent pour calmer mon trac. Un cœur en Plexiglas transparent, avec à l'intérieur une projection de couleur violette et des épingles. Elle me l'a donné. Je ne l'ai pas perdu. En sortant, j'avais tellement son rythme dans l'oreille que je parlais un peu comme elle. J'ai eu la même impression, le même type de mimétisme lors d'un entretien interminable avec Patrick Modiano. On était dans un tout petit bureau de Gallimard, on conversait de cette étrange manière qui est la sienne, avec, de part et d'autre, des silences, des phrases interrompues, des repentirs... Aucune idée de l'heure qu'il était, jusqu'à ce que quelqu'un vienne nous dire que les bureaux de Gallimard fermaient.

10

Souvenirs enchantés

Décidément, j'ai trop de souvenirs – signe d'âge... Mais comment ne pas parler de cinq personnes, trois femmes et deux hommes, qui ont dans ma vie et ma mémoire une place singulière. Ce fut un après-midi à Jackson, Mississippi. Une journée à Aurigeno, en Suisse, suivie d'une correspondance et de moments passés ensemble à Paris. Une heure d'entretien totalement raté à Neuilly, suivie de quinze ans de complicité tendre. Un après-midi à Manhattan, suivi de plusieurs autres, au même endroit ou dans le Connecticut. Un matin à Paris, boulevard de Port-Royal, suivi d'une longue amitié.

Même pour deux jours seulement, c'était une bénédiction de fuir l'automne pluvieux de Paris pour la chaleur de Jackson, Mississippi, où Eudora Welty était née et où elle vivait toujours, seule depuis la mort de sa mère, dans la maison construite par ses parents. En 1987 – elle avait soixante-dix-huit ans et mourrait quatorze ans plus tard –, la France commençait à redécouvrir cette nouvelliste exceptionnelle. Moins caustique que Flannery O'Connor, moins tournée vers la réflexion et la religion, mais dotée d'un art très singulier de la suggestion, travaillant minutieusement sur la sensation. J'aimais son univers, ses textes subtils, poétiques, difficiles à restituer dans leur beauté originelle, mais surtout je savais qu'elle avait connu Faulkner, ce qui me la rendait mythique. Sa maison dominait une colline, et dans le jardin m'attendait une longue femme mince, voûtée. Elle marchait à petits pas et semblait si frêle que je l'imaginais recluse, ne quittant guère son bureau. Elle m'a vite détrompée. À Jackson, elle sort, voit beaucoup d'amis. Elle va même régulièrement à New York, toujours à l'hôtel Algonquin. Elle soutient et défend ses cadets, en particulier Richard Ford, né à Jackson et qui venait alors de publier son quatrième livre, *Rock Springs*, un recueil de nouvelles qu'elle me recommande vivement. Comme Ford n'est toujours pas traduit en français, elle décide de m'offrir ce livre et de me faire connaître sa librairie favorite, Lemuria.

Elle conduit vite et avec beaucoup de sûreté, j'aime ça. Lemuria est cachée dans un *shopping center*, mais on y est accueilli par un très beau portrait de Faulkner par Cartier-Bresson, et, puisqu'on est avec Miss Welty, immédiatement choyée par trois jeunes gens qui défendent la littérature avec passion. Rapide déjeuner dans un restaurant proche. Faulkner, bien sûr… Oui, il y a eu quelques après-midi et soirées un peu difficiles, « où il avait bu plus que de raison ». « Mais tous les moments avec lui ne sont que des bons souvenirs, malgré tout. Nous ne parlions généralement pas de littérature. Nous préférions aller faire du bateau ensemble. Chacun de nous savait ce que l'autre pensait de son travail, et nous n'avions nul besoin d'en débattre. Pour moi, il est indiscutablement le plus grand d'entre nous, de ceux que je me refuse à nommer les "écrivains du Sud", car nous ne formions ni un groupe ni une école. La seule fois où Faulkner m'a parlé de mon écriture, nous ne nous étions jamais encore rencontrés. C'était en 1942. Il était à Hollywood, il avait lu mon deuxième livre, un roman, *The Robber Bridegroom*. Il m'en disait du bien et me demandait de lui écrire si j'avais besoin d'aide. »

Après le déjeuner, petit tour de la ville qui, avec ses trois cent mille habitants, n'a plus grand-chose à voir avec celle de son enfance et ses douze mille habitants. Ici, la maison où elle est née, et le chemin qu'elle empruntait, à bicyclette ou à patins à roulettes, pour se rendre à son bâtiment préféré, la bibliothèque, qui désormais porte son nom. Et puis retour chez elle pour parler, enfin, d'elle.

Une voix ferme et douce. Elle a plaisir à raconter, comme à écrire. Elle le fait avec la même maîtrise, les mêmes phrases balancées, le même sens du mot juste et de la description. Son enfance feutrée de petite fille blanche, qui ne se pose pas de questions sur la ségrégation raciale. Puis sa conscience douloureuse de la situation des Noirs, mais aussi des difficultés d'être « du Sud » dans les années 1960. « À New York, il n'était pas rare que je m'entende demander : "Combien de nègres a-t-on lynchés chez vous cette semaine ?" Et je recevais des coups de téléphone nocturnes me reprochant de ne pas assez militer pour les droits civiques. On dirait que je n'ai rien écrit... La condition des Noirs, je l'ai abondamment décrite, mais j'ai toujours été résolument opposée à ce qu'on appelle la littérature engagée. Les positions que j'ai prises, dans la vie, au moment de la lutte pour les droits civiques ne regardent que moi, comme personne privée, comme tout autre citoyen, et il était évident, pour qui m'avait lue, que je ne pouvais qu'être favorable à la fin de la ségrégation. Mais le propos d'une œuvre de fiction n'est pas de dire aux autres ce qu'ils doivent faire. La fiction, pour moi, explore, désigne, révèle, témoigne, elle ne juge pas, elle ne moralise pas. »

De même, elle ne dira rien de sa vie intime, sauf qu'elle n'a pas « choisi » de vivre seule. Elle préfère parler de son bonheur à écrire, de sa passion pour le texte court, la nouvelle, « la tension, la concentration, l'évacuation de tout ce qui est annexe, subalterne, superflu ». En l'écoutant et en la regardant, on comprend vite que ce corps fragile, ces mains longues et si fines qu'on les croirait incapables de tenir une bêche – alors qu'elle est une excellente jardinière – appartiennent à une femme inébranlable, qui a dirigé sa vie sans jamais se laisser ballotter par les hasards. Tout dans sa conversation le montre, à commencer par sa manière de fixer son interlocuteur, avec ce regard d'un bleu singulier, dans lequel son étrange visage de jeune fille vieillie a concentré toute sa beauté. À 16 h 30, « il est temps de boire quelque chose ». Au lieu du thé arrive une bouteille de bourbon… et je suis, moi, en plein décalage horaire… Une gorgée et je flotte déjà. Si elle le voit, elle n'en laisse rien paraître, mais insiste pour me reconduire à l'hôtel. Le double bourbon qu'elle vient de boire n'a pas l'air de l'affecter. Je prends congé, cotonneuse. Le lendemain matin, je repars. Je ne la reverrai pas. J'aurais aimé accompagner des amis français lorsque la France l'a honorée et décorée, des années plus tard. Je n'ai pas pu. Dommage, mais la journée de Jackson m'a suffisamment comblée. Et quand je lis Eudora Welty, je vois son œil bleu, et je l'entends encore.

La Suisse ne me fait pas rêver, elle me déprime plutôt. Un air trop pur, trop de montagnes, trop de vert, trop de propreté, pas assez de folie et de pagaille – depuis que j'ai entendu Jacques Chessex me dire son amour pour son pays, j'ai un peu révisé mon jugement... En 1987, à la simple idée d'aller en Suisse, je bâillais. Sauf ce jour de printemps où un éditeur m'a dit : « Patricia Highsmith accepte de vous recevoir. Elle est d'accord pour qu'un photographe vous accompagne. » Tous ses livres m'avaient troublée. Je ne comprenais pas qu'on la classe au rayon roman policier. Non que j'aie du mépris pour le genre, mais à mon sens sa littérature n'avait pas grand-chose à voir avec lui. Même la série des Ripley. On classerait plutôt Highsmith au rayon « romans du malaise », si ce genre existait. Souvent, il ne se passe rien, mais de page en page l'angoisse monte, sans qu'on puisse vraiment l'identifier. Et puis il y a ce terrifiant *Journal d'Édith*, une histoire de lente destruction, une marche forcée vers la folie, avec cette Édith qui tient un journal non pour raconter ses journées mais pour fuir le réel en écrivant ce qu'elle aimerait qu'il soit. Depuis des années, je me demandais, sans espoir, comment rencontrer Highsmith, cette misanthrope radicale qui, de surcroît, avait quitté la France en 1982 pour se réfugier dans un village perdu du Tessin. Il fallait prendre l'avion (assez petit : je n'aime pas vraiment) jusqu'à Locarno, puis une voiture. J'étais accompagnée de la photographe, heureusement une amie, la Finlandaise Irmeli Jung.

Aurigeno est vraiment le village du bout de la route, appuyé à la montagne. La montagne m'angoisse, mais ce n'est pas elle, ce jour-là, qui me fait peur. Plutôt l'atmosphère du lieu, à cause de cette femme dont j'ai lu les livres où, derrière chaque description anodine, se profile l'horreur. Et, surtout, je crains de l'affronter, cette si étrange personne. J'ai un curieux malaise en garant la voiture à l'entrée de ce patelin désert. Absolument désert. Aucun bruit. « Pourtant les femmes sont chez elles, me dira Highsmith, et les hommes, des ouvriers du bâtiment pour la plupart, sont au travail. » Pas même une boutique où demander son chemin. Les deux seuls lieux publics, le bureau de poste et une trattoria, sont fermés. Je ne vais pas frapper à toutes les portes. Je ne sais plus comment j'ai trouvé la bonne, mais c'est bien Highsmith qui ouvre – une silhouette anguleuse, des mains puissantes. Elle semble moins agacée qu'embarrassée par l'irruption d'inconnues dans sa solitude studieuse. Dès ses premiers mots, ses premiers gestes, je suis sous le charme, le charme secret de sa timidité et de son propre inconfort. Elle a une curieuse manière d'occuper l'espace de la pièce principale de la maison, de le parcourir en long, en large, en diagonale, pour s'habituer à l'intrus sous tous ses angles avant de lui faire face, avec des yeux si noirs qu'on n'en distingue pas les pupilles. Son regard ne trahit rien de ses sentiments, ni de son impression sur le visiteur : il semble l'illustration exacte du mot impénétrable, comme l'œil du chat siamois allongé derrière elle... Heureusement déboule une jeune chatte rousse et espiègle, qui n'a rien d'un sphinx. Dès que la photographe bouge, Highsmith s'effraie, non de la photo à venir, mais du possible désordre que cette femme pourrait mettre. L'appareil est sur un pied... ne va-t-il pas tomber et briser un objet, en heurter un autre... ? J'essaie de la rassurer. La légende la dit quasi mutique, pourtant elle parle volontiers, dans un bel anglais, riche, rigoureux, ferme, structuré, comme la langue de ses livres. Elle garde intacts son sens du récit, son plaisir à manier le langage, en excluant de celui-ci les mots parasites, les balbutiements, les répétitions, en y glissant un humour furtif, pour expliquer, entre autres, comment, Américaine née au Texas en 1921, elle a choisi, après vingt-cinq ans passés à New York, l'Europe et un certain nomadisme – Grèce, Italie, Angleterre, France, Suisse –, « Je préfère Londres et Paris à New York, bien que je n'aime pas particulièrement les villes. Surtout, je préfère les Européens. Mais j'ai aussi des amis à New York. Je dirais quatre. Et puis, Venise, c'est tout de même autre chose que Dallas, Texas, non ? » Ce n'est pas sans une certaine ironie, au regard de notre présent politique, que je me souviens aujourd'hui de ses propos sur les différences entre les États-Unis et l'Europe. « C'est une question de valeurs. On n'imagine pas les Européens élisant M. Reagan. Ici, tout le monde s'intéresse à la vie politique et économique. On raisonne. On élit des hommes d'État. M. Reagan, c'est le triomphe de la télévision. Et la télévision, c'est l'univers du lieu commun. »

Je ne me lassais pas d'entendre son anglais. Quand on l'interroge sur son goût pour cette langue, elle répond : « C'est une langue menacée. Les Français pensent que leur langue disparaît, mais c'est l'anglais qui disparaît. Cette espèce de sabir qu'on parle sur toute la planète n'est pas de l'anglais. » On appelle cela « globish » maintenant : rien qu'à l'oreille, le mot a quelque chose de peu ragoûtant… Plutôt que de patauger avec ses contemporains dans les stéréotypes, elle avait choisi de vivre à l'écart, pour travailler, avec ses cahiers « pour noter des idées, des émotions », et sa machine à écrire, « une vieille Olympia mécanique, vieille de trente et un ans. J'y tiens beaucoup. Il faut s'en occuper, nettoyer les caractères ». À ses débuts, quand est né *Monsieur Ripley*, elle écrivait dans sa cuisine « mais désormais, dit-elle, j'obéis à des sortes de rites : je préfère avoir un bureau avec une fenêtre à laquelle je ne fais pas face ». Effectivement, sa table de travail est tournée vers un mur aveugle, et c'est un établi qui se trouve devant la fenêtre : elle aime le travail manuel, réparer et fabriquer des objets. Sa solitude n'est pas désintérêt du monde. C'est une dévoreuse de presse : elle sélectionne, découpe de multiples informations, conservant des détails qui nourrissent son imagination, comme le font les récits de ses voisines. Par exemple, cette femme qui lui a raconté la déprime d'une amie parce qu'un de ses deux hamsters ne mangeait pas depuis deux jours : « Je me demandais si mon imagination allait pousser plus loin cette histoire de hamster malade... » Elle avoue aussi un goût étrange pour certains individus, souvent les plus inattendus, ennuyeux, antipathiques, médiocres qui, pour une raison inexplicable, la stimulent. Car elle aime créer à partir de l'ennui. « Du coup, dit-elle, je ne déteste pas cet ennui qui me prend de temps à autre, et j'essaie même de le faire naître. » Je l'écoutais développer sa joie, toujours renouvelée, d'écrire « pour se plaire à soi-même », sa modestie face au refus de certains de ses manuscrits, son côté « artisan » qui l'a conduite à couper, sans rechigner, quelques textes, son aversion pour les gens qui font du bruit.

Je crois que je parlais peu, et que je n'étais pas très bonne dans cet entretien. Elle m'a offert de la bière ou du whisky, j'ai décliné. Elle, elle alternait bière et whisky. Elle m'a proposé de manger un morceau d'une sorte de brioche, j'ai refusé aussi, et elle, elle a continué avec la bière et le whisky, sans toucher à la nourriture. Après plusieurs heures, il fallut bien considérer le travail comme terminé. Je ne parvenais pas à savoir si elle avait envie que je dégage son espace, et la photographe avec moi, ou si elle souhaitait rester encore un peu en notre compagnie. La photographe a fait des photos dehors, il y avait encore de la neige sur les toits et les murets. J'ai donné le signal du départ. C'est alors qu'elle nous a invitées à visiter les deux étages de caves de sa maison, du XVIIIe siècle. J'ai frissonné. Suivre Highsmith dans une cave… Y aurait-il un élevage d'escargots ? Des rats ? Un cadavre enseveli par Ripley, qui, une fois de plus, aurait échappé au châtiment ? Rien de tout cela. « Ici, on mettait les fromages, mais il n'y a pas de fromages. Là on pendait les jambons, mais il n'y a pas de jambons. » Il y avait seulement la bicyclette d'une voisine.

Aucune de nous trois ne savait comment prendre congé. J'ai dû le faire avec une maladresse que j'ai voulu oublier. J'étais certaine de ne jamais la revoir, cette femme si bizarre, bien plus bizarre encore que je ne l'imaginais, qui avait été si belle, comme le montrait son portrait « peint par une amie », accroché au mur du salon, et toutes les photos de sa jeunesse. Mais le mélange constant whisky et bière ne préserve pas très longtemps un visage lisse et lumineux. Elle m'a écrit que mon article lui plaisait, ce qui, de sa part, m'a étonnée : je ne la voyais pas s'embarrasser de lettres de courtoisie.

Je l'ai revue l'année suivante, chez son éditeur, à une soirée où elle était rayonnante, diserte, et enchantée de montrer les plans de la maison qu'elle se faisait construire, en Suisse toujours, à Tegna. Une belle maison austère, très fermée sur elle-même, tendance bunker – un autoportrait en quelque sorte. Elle me fit promettre de venir à Tegna, quand les travaux seraient terminés. Et puis, nous nous sommes écrit. De courtes lettres. Elle tapait, avec sa vieille machine, sur des feuilles demi-format. Et j'aimais ces missives qui semblaient venir d'ailleurs, de loin, d'un temps où le téléphone n'existait pas, où l'on donnait par écrit les détails anodins d'une journée banale avant de terminer abruptement par : « Je dois m'arrêter là pour aller poster, sinon je vais manquer la levée d'aujourd'hui. » Je ne sais pas vraiment ce qu'était cette correspondance… L'expression d'une attente ? Sans doute pas. La préservation d'un souvenir ? Peu probable… Les lettres sont quelque part, pas perdues mais pas classées – je ne suis pas méthodique. Elles ne disaient pas grand-chose je crois, elles étaient surtout un moyen de ne pas perdre le contact. Un jour, elle a téléphoné : « C'est Pat, je suis à Paris, voulez-vous venir dîner ? » Nous sommes allées dans un chinois. Elle a peu mangé, bu de la bière et fumé ses Gauloises. Elle me parlait dans son anglais raffiné et je répondais en français. Comme lorsqu'on s'écrivait. Aux tables voisines, on nous regardait avec un certain étonnement. Je l'ai raccompagnée à son hôtel, elle m'a réinvitée à Tegna. À la fin de 1994, elle est venue à Paris, et, le matin du jour où nous devions nous voir, elle m'a appelée. Malade, elle devait rentrer en Suisse immédiatement. J'ai appris qu'elle avait été hospitalisée, mais qu'elle était de retour chez elle et que je pouvais lui envoyer un fax pour fixer un rendez-vous. Ce que j'ai fait. Le lendemain, 4 février, son éditeur français m'a avertie de sa mort. Patricia Highsmith, qui avait eu soixante-quatorze ans le 19 janvier 1995, s'était éclipsée.

Si je n'avais pas été très bonne en interviewant Highsmith à Aurigeno, il y a quelqu'un avec qui j'ai été carrément nulle, et pourtant ce devait être le début d'une surprenante histoire, au charme singulier : Edwige Feuillère. Feuillère, pour moi, c'était un nom, que je croyais être un pseudonyme – pas du tout, elle avait eu un mari éphémère nommé Pierre Feuillère –, et surtout une voix, un port de tête, un tombé d'épaules... Et encore, la si belle partenaire du jeune Jean Marais dans *L'Aigle à deux têtes*, la séductrice altière du *Blé en herbe*, la trouble héroïne d'*Olivia*, la terrible douairière de *La Chair de l'orchidée*... Et il y avait surtout son pur amour du théâtre... Là, c'était l'Ysé de Claudel dans *Partage de midi*, que je n'avais jamais vue – née trop tard –, l'interlocutrice hautaine de Pierre Fresnay dans une version télévisée de *L'Échange*, que j'avais vue. Elle avait connu Claudel, qui, évoquant dans son *Journal* les répétitions de *Partage de midi*, s'émeut devant Feuillère, se sent, dans la salle, un vieux Mesa retrouvant son Ysé... J'ai recopié plus tard, dans un carnet pas encore perdu, quelques phrases du *Journal*. Leur première rencontre, le 8 mai 1948 : « Jean-Louis Barrault m'amène une dame blonde que je ne voudrais pas rencontrer tout seul au coin d'un bois et qu'il prétend être Edwige Feuillère. » Puis, lors de la première de *Partage*, le 18 décembre 1948 : « E. F. est épatante. C'est Ysé elle-même. » En 1953, elle joue *Pour Lucrèce*, de Giraudoux, et Claudel commente : « La pièce me paraît absurde. Sauvée par seule l'extraordinaire "présence" d'Edwige F. Tous les hommes ridicules. » Feuillère, un mythe, mais déjà presque un mythe du passé.

Et voilà qu'en 1984 elle publie, chez Albin

Michel, la biographie d'une actrice d'autrefois, la Clairon. Ses attachées de presse m'incitent à faire un portrait d'elle. Non, je veux la garder comme dans mes rêves, éblouissante de jeunesse. Pourtant, me disent-elles, tu adores les vieilles dames ! Oui mais pas toutes, et puis les vieilles actrices qui, à soixante-dix-sept ans, signent des livres qu'elles n'ont pas écrits, la barbe ! Arrive le Salon du livre de Paris. Quelqu'un vient me chercher sur le stand du *Monde* pour me dire : « J'ai quelque chose à te montrer. » Sur le stand d'Albin Michel, il y a foule. Je ne vois d'abord qu'un chapeau et de la fourrure. Puis un dos très droit et un profil encore magnifique. Edwige Feuillère. Je n'attends même pas de lui parler pour dire aux filles qui me tannaient en vain depuis des semaines : « Je fais un entretien. » Rendez-vous est pris. J'arrive un après-midi rue de Longchamp à Neuilly. Immeuble assez banal. Je monte dans l'ascenseur, la gorge un peu serrée : je l'ai sentie autoritaire. On m'ouvre la porte, on m'introduit au salon, je le trouve un peu trop rose, un peu trop bonbonnière. Elle entre. Pas très maquillée, elle porte un pull à col cheminée, son corps n'a plus la fermeté de mes souvenirs. Reste le port de tête. C'est elle, mais elle est une vieille femme.

Aujourd'hui, je suis sûre qu'elle a vu tout cela, en une seconde, dans mon regard. Alors elle a sorti le grand jeu. Elle me fait asseoir sur un canapé et s'assied tout à côté, cuisse contre cuisse, quasiment. Je me recule. Elle hausse le sourcil et dit seulement : « Vous êtes très mal assise, appuyez-vous sur les coussins. – Pardon, mais je ne peux pas travailler comme ça. – D'accord, je vous retire les coussins. » Et on démarre. Elle répond, mais très vite m'interrompt et approche son visage du mien. « Ah, maintenant que je vous vois avec mes lunettes... Mais vous avez de très jolis yeux verts... » Avec cette voix à faire frémir tous les écrans. Je ne sais plus où j'en suis. Je reprends le fil tant bien que mal... « Vous avez lu mon livre ! Vous êtes bien la première journaliste qui vient me voir pour ce livre à l'avoir fait. » Je bafouille. Je suis de plus en plus mauvaise. Je me penche pour retourner la cassette du magnétophone. Elle me relève le visage, touche mes cheveux, sur le front, à droite. « Mais vous avez une mèche de cheveux blancs... C'est naturel ou vous le faites exprès ? » Là, je sens que je me trouble, peut-être même que je rougis, je patauge, je m'enfonce. Ça m'apprendra à avoir trahi du regard que, dans son pull, je ne retrouvais plus du tout celle que j'avais placée sur un piédestal. Je suis furieuse contre moi, mais contre elle aussi. Voilà qu'elle voudrait me faire manger des chocolats. Et qu'elle me raconte qu'elle est une grande lectrice. Tu parles ! Je me demande bien quelle littérature elle aime. Je n'ai pas envie de creuser, je veux partir. Elle va chercher mon vêtement, une veste en cuir noir, elle m'aide à l'enfiler et me passe la main tout le long du dos, en disant – toujours sa voix : « J'adore la sensation du cuir. » D'accord, elle a soixante-dix-sept ans, j'en ai trente-trois, mais elle a pris le pouvoir et m'a couverte du ridicule que je méritais. Fuyons.

Je n'étais pas au bout de mes peines. J'écoute la cassette. Je suis plus nulle que nulle, je ne relance pas avec les bonnes questions, je ne la pousse pas à s'expliquer, je tiens des propos tout à fait incongrus. Rien à en tirer. Impubliable. Et, pour tout arranger, elle veut relire avant parution. Que faire ? Conclave avec des amis proches auxquels je n'ose même pas faire entendre la chose. Conseil de bon sens, mais facile à dire. « Tu essaies de te rappeler ce que tu voulais savoir, ce qu'elle commençait à dire quand elle s'arrête et que tu oublies de la relancer. Tu réécris tout : il n'y aura sans doute plus un mot de ce qui est sur la bande, mais on verra bien ce qu'elle en dira. » Un week-end entier, pour une page d'entretien dans *Le Monde*. Et une relecture à la loupe par mon amie Monique Nemer. Des questions enfin intelligemment formulées et des réponses reconstituées... Mais peut-être « à côté »... Le lundi, je fais porter l'entretien. Deux heures plus tard, Feuillère au téléphone : « Mon petit, c'est absolument parfait... Je n'ai jamais lu un entretien aussi fidèle à ce que je suis. » Là, j'ai compris qu'elle était extrêmement intelligente.

Elle m'a proposé de la revoir. Elle m'a parlé de ce qu'elle lisait. Un goût très sûr pour la littérature, les classiques – elle n'avait pas oublié les leçons de Claudel. Elle tenait beaucoup à son édition de *La Divine Comédie* de Dante, annotée de sa main, en italien – la nationalité de son père. Elle l'a offerte à la fin de sa vie à Hector Bianciotti, que je lui avais présenté. Mais elle avait une curiosité pour tout ce qui paraissait – je lui apportais les livres récents que je préférais – et l'éclectisme des lecteurs passionnés. Elle retournait avec bonheur du côté de Claudel, mais découvrait avec le même intérêt Philip Roth, qui lui donnait envie de relire Joseph Roth. Dante la ramenait du côté de Philippe Sollers, et elle repartait côté italien pour lire Svevo et Elsa Morante. Elle lisait ceux dont je lui parlais, Eudora Welty, Anna Maria Ortese, Annie Ernaux, Danièle Sallenave.... Mais les troubles récits d'Highsmith lui semblaient trop inquiétants. Quand nous allions dîner, j'essayais toujours de la convaincre, de lui faire aimer cette « reine noire ». Sans grand succès.

Quand elle jouait le soir au théâtre, nous allions plutôt déjeuner. Elle me séduisait de toutes les manières. Parce qu'elle aimait séduire, parce que sa conversation était brillante, pleine d'humour, son langage parfois délicieusement désuet. Un jour que je lui parlais d'un homme, elle me dit : « Alors, vous êtes éprise ? », avec une sorte de h aspiré devant « éprise »… Elle déjeunait « en chapeau », comme il se doit si l'on arrive chapeautée au restaurant – mais plus personne ne sait le faire. Après le café, sans utiliser de miroir, elle se remettait du rouge à lèvres. Elle prenait parfois une voix de grand-mère indignée pour dire : « Mon petit, tenez-vous droite, c'est une règle absolue. » Quand je me plaignais d'un homme marié qui aimait les névrosées, celles qui vous harcèlent pour arracher une soirée, un week-end – et que je lui disais que j'avais, moi, horreur de ces comportements et que, ne demandant rien, je n'obtenais rien, elle ponctuait en riant : « Mais mon petit, c'est l'histoire de ma vie ! Les hommes, si on ne les accable pas de récriminations, ils ne donnent rien. » Elle s'était gardée des récriminations, moi aussi. Tant pis. Et surtout tant mieux, quand on pouvait en rire ensemble.

J'aimais aller la voir au théâtre. La présence, sur scène, d'une personne avec laquelle on a une forme d'intimité est toujours émouvante. Angoissante aussi. Quand, au théâtre Montparnasse, elle a repris avec Jean Marais *La Maison du lac*, j'y allais presque chaque soir. Marais-Feuillère, pour la dernière fois, il fallait voir et revoir. Un jour où elle m'invitait à déjeuner dans un restaurant proche du théâtre, dont le caractère vieillot et provincial, comme la clientèle, nous amusait, elle m'ordonna : « Cessez de venir au théâtre ! » Ajoutant devant ma mine déconfite : « Mais enfin, ce n'est pas une bonne pièce ! Comment pouvez-vous écouter encore et encore ces répliques si banales ? – Bien sûr, ce n'est pas Claudel, mais je ne viens pas pour les paroles, je viens pour vos épaules et pour la mélodie. – Effrontée et incorrigible, voilà ce que vous êtes. Alors venez donc ce soir, je vous présenterai à Jean. »

Juliette Gréco, qui s'amusait de cette amitié improbable et imitait si bien Feuillère, m'appelait parfois en contrefaisant sa voix... J'hésitais... par peur de dire à la véritable Feuillère : « Arrêtez vos plaisanteries stupides ! »... Un matin, j'entends au téléphone le phrasé de Feuillère, trop surjoué pour que ce soit réellement elle : « Mon petit, je me suis bien amusée hier soir. » Et Juliette Gréco me raconte, avec sa propre voix et un ton de gamine ravie de son coup, qu'elle était la veille à une soirée, et qu'apercevant Feuillère à une table elle s'est approchée sans bruit, a passé le bras autour de ses épaules, et se penchant lui a dit d'un ton ironique : « Alors ! Nous séduisons la même jeune femme ?... » En dépit de mes protestations, j'avoue qu'imaginer cette scène entre ces deux-là m'amusait plutôt. Le plus savoureux était à venir. Appel de Feuillère, l'après-midi même :

« Mon petit, il ne faut pas dire à Juliette Gréco que nous nous voyons, elle est très jalouse… » Je plaisantai : « Mais non, elle sait très bien que nous avons des amours incestueuses. – Incestueuses, peut-être, mais pas saphiques… » Il n'y a plus personne pour prononcer de telles phrases !

À propos de ses rapports avec les femmes, un jour, alors qu'une fois de plus je venais de croiser sur le palier une admiratrice passionnée qui la poursuivait et qu'elle recevait, tout en restant distante, voire désagréable, j'ai plaisanté : « Vous, vous êtes une allumeuse. – Enfin mon petit, comment osez-vous ? – Pardon, mais c'est la vérité ! » Elle n'a pas commenté. J'ai pensé à Sartre disant à Sagan coupant mal la viande qu'il ne pouvait plus couper lui-même : « Le respect se perd. » J'ai eu un peu honte : j'avais franchi une limite, ténue, à peine perceptible, et cependant bien présente, au-delà de laquelle elle tenait à sauvegarder son inaltérable dignité. Plus qu'à Claudel, c'est à l'Hérodiade de Mallarmé qu'elle faisait penser : « Qui me toucherait, des lions respectée… »

Les années passaient et elle ne cessait de jouer, jusqu'à ce si émouvant *Edwige Feuillère en scène*. Seule en scène, avec, de temps en temps, un partenaire presque invisible qui venait solliciter sa mémoire, elle revisitait toute sa carrière. Elle voyageait, elle vieillissait sans devenir une vieille femme diminuée, elle s'était bien rétablie d'un fémur cassé. Quand j'étais allée la voir à la clinique, elle m'avait dit d'emblée : « Il faut que je sorte d'ici au plus vite, c'est plein de vieillards ! » Elle n'aimait pas la mort, moi non plus, on n'y pensait donc pas. Même si elle m'avait légué, « par avance », le collier de pierres roses qu'elle portait dans *L'Idiot*. Un bijou de cinéma que je garde comme une relique. Je l'ai porté certains soirs de fête.

Au mois de janvier 1998, elle m'a appelée pour m'intimer l'ordre de ne plus lui rendre visite : « Nos rapports de séduction interdisent que vous me voyiez dans cet état, mais je vous promets qu'on se reverra avant ma mort. Et on peut s'appeler autant qu'on veut. » Je ne m'en privais pas. En septembre, quand un de mes amis est mort brutalement, elle m'a promis qu'elle ne mourrait pas cette année-là : « Je ne veux pas vous infliger deux deuils en même temps. » « Encore un an ! » a-t-elle plaisanté le jour de son quatre-vingt-onzième anniversaire, le 29 octobre. Le 8 novembre, Jean Marais est mort. Elle ne pleurait pas, ce n'était pas dans sa manière. Sa tristesse était d'une nature particulière. On y entendait comme l'écho d'une fatalité. « Et il avait six ans de moins que moi... » Le 11 novembre, elle m'a demandé de passer la voir le lendemain, un jeudi. Elle avait pris rendez-vous chez le coiffeur « pour être présentable », mais, a-t-elle avoué, « cela m'a trop fatiguée, venez plutôt dimanche ». Le soir, elle a eu un malaise. Le 13, elle m'a fait téléphoner, de l'hôpital, pour me dire de venir le dimanche, qu'elle soit de nouveau chez elle ou encore hospitalisée. Elle est morte le soir même. Un vendredi 13. Tout juste neuf ans plus tôt, j'avais fait une rencontre amoureuse, un vendredi 13, alors j'en avais fait un jour porte-bonheur... Idiotie de superstition.

Comme convenu, je suis allée chez elle le dimanche. Son corps, sobrement habillé, était étendu sur le lit. Elle était maquillée, très belle. Soudain, j'ai eu l'impression qu'elle respirait. On devait être encore au théâtre... J'ai préféré partir avant de me sentir tout à fait ridicule. Je vais rarement aux enterrements. Le moins possible. Aller au sien était une évidence. Elle ne voulait « ni fleurs ni couronnes ». Tous ses amis avaient envoyé des fleurs, moi les violettes qu'elle aimait. Les fleurs sont restées sur les marches de l'église Saint-Roch et, à l'intérieur, le cercueil était nu. Ce n'était pas austère – ce qu'elle avait probablement souhaité –, seulement sinistre. C'était la première fois que je lui voyais faire une faute de goût. Là, je savais que le cercueil n'allait pas s'ouvrir, que la pièce ne se jouerait pas une autre fois. Il faisait affreusement froid dans cette église. J'étais emmitouflée dans un châle et serrée contre mon ami Hector Bianciotti. Et j'ai pleuré. En silence, me semblait-il. Pourtant, il m'a tendu un immense mouchoir blanc... Ensuite, il m'a raconté, avec son accent sud-américain si théâtral, aux inflexions si singulières, son étonnement. J'étais probablement la dernière personne qu'il pouvait imaginer en larmes, il me prenait pour un roc. « J'ai entendu un petit bruit de reniflement et j'ai pensé que vous étiez en train de prendre froid dans cette maudite église. Et soudain je me suis dit : mais non, elle pleure ! Et je vous ai donné ce mouchoir. » Je l'ai gardé. L'église était pleine de célébrités – ce mot dont elle déclarait vouloir « ne jamais être dupe ». « La renommée, c'est Hugo, ou Mozart. Pour nous, tout au mieux, c'est de la popularité. Pour ma part, j'ai fait une honnête petite carrière... » Il y avait des officiels, Bernadette Chirac notamment, mais surtout des gens de théâtre. J'étais heureuse de voir au premier rang Ariane Mnouchkine. Guy Tréjean, son ami de longue date, a rappelé l'humour d'Edwige et « cette manière de se tenir, droite, la tête haute, de ne jamais s'avachir ». Et puis, comme au théâtre, elle a eu sa dernière *standing ovation*, et de longs applaudissements, jusqu'à ce que le corbillard parte pour Beaugency où se trouve son caveau familial. Je prends très souvent l'autoroute A 10. Parfois, à la sortie Beaugency, je me dis que je devrais quitter l'autoroute et aller dans ce cimetière. Je ne le fais pas.

Il n'y a rien de morbide dans les moments que j'ai passés avec Philip Roth – sauf peut-être en lisant ses derniers livres, mais jamais en allant le voir. Tout avait pourtant très mal commencé. 1992 : Roth, dont j'aimais passionnément tous les livres, publie, en France, *Patrimoine*, récit sobre et terrible de la maladie et des derniers mois de son père. Depuis que j'étais au « Monde des livres », je n'avais jamais pu écrire sur lui. La responsable de la littérature étrangère, qui le détestait, m'en empêchait. Mais, désormais, j'étais « chef » (ça me faisait toujours rire) : Roth aurait donc enfin sa une du « Monde des livres ». Mais je voulais davantage. Un grand entretien. Impossible, m'a-t-on dit, il ne veut pas voir de journalistes. Je me doutais que « ces prétentieux sans oreilles, ces sourds qui prétendent donner leur avis sur la littérature », n'étaient pas pour lui les bienvenus. Et tous ceux qui avaient forcé sa porte étaient revenus en me disant : « Ton écrivain américain préféré est particulièrement antipathique. » « Quand je l'ai rencontré, j'étais enceinte, m'avait raconté mon amie de *Libération*, Annette Lévy-Willard. Il me regardait avec dégoût et ne m'a même pas offert un verre d'eau ! » Qu'importe, je voulais y aller quand même. Je savais que Sollers et lui avaient de bons rapports – Roth avait publié plusieurs fois dans sa revue, *L'Infini*. Je lui ai demandé de m'aider. Il a envoyé un fax. J'ai détesté le fax de réponse, qui sous-entendait : « Si c'est ta petite amie du moment, tu peux me l'envoyer. Qu'elle me téléphone. » J'ai donc appelé. Conversation déplaisante. « Votre journal ne vous envoie pas juste pour m'interviewer ? – Si. – Ils ont de l'argent à perdre ! Vous voulez venir quand ? Enfin, venez à New York, appelez-moi et on verra. » Rien de plus précis. On se met d'accord tout de même sur une certaine semaine. Six jours entiers à New York pour un entretien pas même calé à l'avance... Heureusement que j'habite chez mes amis new-yorkais, sinon le journal aurait sérieusement tiqué sur la note de frais.

J'arrive un samedi soir, je dois repartir le vendredi soir suivant. Le lundi matin, j'appelle Roth, qui me donne rendez-vous le lendemain après-midi à New York. Je passe la moitié de la nuit à refaire mes questions. À l'époque, on n'est pas encore dans la folie antitabac, mais mon hôte américain, David, est déjà hystérique sur la chose, donc impossible de me calmer en fumant. Quelques heures avant le rendez-vous, Roth appelle. Il se trouve qu'il n'est pas à New York... On se verra jeudi. Le jeudi matin, de nouveau, il repousse l'entretien au lendemain, jour de mon départ, mais ce devra être dans le Connecticut... Mes amis, adorables, mettent tout au point pour que, de chez lui, je reparte directement pour l'aéroport, mon billet n'étant pas échangeable. Je commence à être un peu nerveuse... On avait bien raison de me prévenir contre ce type. Il est peut-être génial, mais franchement pénible ! Vendredi matin, 8 heures à peine, mes amis dorment et je peaufine mes questions, pour la dixième fois sans doute. Le téléphone sonne, je pense que c'est un Français qui a mal calculé le décalage horaire. « Bonjour, c'est Philip Roth. » Je suis verte. « Ne vous inquiétez pas. – Mais si, je m'inquiète ! – Venez à 14 heures dans mon appartement de Manhattan, Upper West Side. » Tous ces complexes aménagements de voiture, d'horaires, pour revenir au point de départ !

Et le cauchemar n'était pas terminé. J'arrive pile à l'heure, angoissée. Il n'a pas l'air ravi de me voir. « Il vous faut combien de temps ? – Une heure. – Allons-y. » Il regarde sa montre toutes les deux minutes, il me bouscule : « Trop académique... Trop universitaire : une autre question. » J'essaie de ne pas perdre pied. Au bout d'un moment, je suis prise d'une irrépressible quinte de toux. Il attend que je sois écarlate et larmoyante pour me demander si je veux un verre d'eau. Je le déteste. J'avale ma salive et lui dis : « Non, ça va très bien. » Je suis restée une heure et demie, avec le sentiment de traverser l'enfer. À peine sortie, j'ai appelé Sollers d'une cabine (c'était avant la généralisation du portable mais, à New York, il y avait des cabines téléphoniques partout) et je lui ai hurlé dans les oreilles, au-dessus de l'Atlantique, que son copain Roth était vraiment un type impossible, que je ne le reverrai jamais de ma vie. Le lire me suffirait.

Quelques jours plus tard, alors que j'étais de retour à Paris et n'avais même pas voulu écouter cette interview catastrophique, le même Sollers me dit : « Roth a rencontré Julia Kristeva, qui enseigne en ce moment à New York. Il lui a dit que son entretien avec une journaliste du *Monde* s'était très bien passé. Il semblait satisfait... » Pas moi ! Il ne manquait pas de culot, ce Roth. Odieux, et menteur, de surcroît. J'ai bien sûr fini par écouter la cassette : le journal avait programmé une page entière pour cet entretien. Et contrairement à ce qui s'était passé avec Edwige Feuillère, il était excellent. On n'avait pas du tout le sentiment que j'avais peur. Il y avait même ce dialogue assez comique, Roth interrompant une explication pour me demander : « Cela vous dérange que je tripote sans cesse ce trombone ? – Et vous, ça vous dérange que je regarde vos mains ? – Ce trombone, je vais vous le jeter à la figure quand nous aurons fini. – Super, je suis fétichiste. » Il me l'a en effet jeté au visage. Je l'ai toujours. Quand il est venu en France, à Aix, quelques années plus tard et que nous avons déjeuné ensemble, avant le débat que je devais animer, j'ai sorti le trombone et il a éclaté de son énorme rire : « Mon Dieu, c'est vrai qu'elle est fétichiste ! » Nous avons dû raconter l'histoire aux autres convives.

Cette première visite de 1992 m'avait tout de même suffisamment échaudée pour que je m'abstienne de demander à revoir Roth pour le livre de lui que je préfère, *Opération Shylock*, paru en France en 1995. Mais quand j'ai lu *Pastorale américaine*, que d'ailleurs je n'aime pas beaucoup, j'ai pressenti son succès public en France – ce qu'il n'avait pas jusque-là – et j'ai voulu faire un nouvel entretien. Il avait désormais comme agent Andrew Wylie, que je ne connaissais pas encore. J'appelle donc son bureau pour qu'on me passe la personne qui s'occupe de Roth et fixer un rendez-vous. Je précise que ce sera « quand il veut », tout en signalant une semaine qui ne me conviendrait pas. Deux jours plus tard, je m'entends proposer un rendez-vous le mardi de la semaine qui me dérange, à 16 heures, au bureau d'Andrew Wylie, pour vingt minutes ! Bien sûr, je refuse. J'avais vu Roth des années auparavant, chez lui, pendant une heure et demie. Je voulais faire un portrait, je n'avais pas besoin qu'il m'explique en vingt minutes comment lire son livre ! Immédiatement, l'agence de Wylie, en rage, appelle son éditrice chez Gallimard, Christine Jordis. Comment ! Cette fille du *Monde* refuse d'obtempérer à nos diktats ? Elle se croit où ? Et pour qui se prend-elle ? Les pygmées français se révolteraient-ils contre notre toute-puissante machine à gérer les écrivains ? Évidemment, Christine Jordis me rapporte la conversation, précisant que son interlocuteur avait conclu : « De plus, “elle” va nous le faire payer : les journalistes, on les connaît, quand ils n’ont pas “l’entretien”, ils font un tout petit papier… » Cette fois, la rage est de mon côté. « Les journalistes, on les connaît » ! Sous entendu : comme ils ne savent pas lire, ils font des entretiens, sinon rien. J’ai acheté un texte inédit de Roth, paru dans le *Los Angeles Times*, j’ai fait la critique du livre, j’ai demandé des témoignages sur lui à de jeunes écrivains français. Bref, « Le Monde des livres » a consacré sa une et deux pages à Roth. Chez Wylie, on m’a fait savoir que toute cette affaire avait été un désolant malentendu et que, dès que je viendrais à New York, Roth serait enchanté de me revoir…

Chaque fois que je dois l’appeler, j’ai tout de même une sorte de trac. Il prétend en riant que je me sers de cette prétendue crainte pour le séduire. Pas du tout : l’écrivain m’impressionne et l’homme me déconcerte… Pourtant nos trois dernières rencontres, deux dans sa maison du Connecticut, une à New York en 2006, ont été un vrai plaisir. Dans le Connecticut, la première fois, il m’a tout de même accueillie par un : « Mais je vous attendais demain », pour mieux rire de ma tête qui s'allongeait : « *Joke ! Very bad joke !* » En effet. Mais la conversation, elle, est toujours sérieuse et drôle, brillante et précise, littéraire, politique, pimentée de quelques digressions sur les restaurants en vogue à Manhattan, tous trop bruyants, et autres futilités anecdotiques.

En politique, Roth n'est généralement pas en phase avec les dirigeants américains. George Bush, le père, lui semblait, en 1992, un tel repoussoir qu'il songeait, en cas de réélection, à revenir en Europe. Il avait passé sept années en Angleterre, lorsqu'il vivait avec l'actrice Claire Bloom. Bush n'avait pas été réélu, « mais en tout état de cause, c'était une sorte de George Washington à côté de son fils, qui n'est même pas apte à diriger une quincaillerie ».

À New York, la dernière fois, après l'entretien, nous sommes allés nous promener sur Broadway et flâner dans une boutique qui annonce vendre « tous les magazines de tous les pays ». C'est sans doute inexact, mais le lieu est gigantesque et l'offre, impressionnante. Roth était d'une humeur joyeuse comme jamais. Pourtant, en novembre 2007, quand a paru en France *Un homme*, je n'ai pas eu envie d'essayer de le voir. Il sortait en même temps un roman aux États-Unis, *Exit Ghost*. Il avait sûrement vu trop de journalistes, ce qui avait dû le mettre dans une mauvaise humeur que je répugnais à subir. Il était « laconique », m'a rapporté une journaliste française qui le rencontrait pour la première fois. Je crains qu'il ne préfère désormais fréquenter des gens qui l'adulent, de ces prétendus fils spirituels qui ont réussi à le brouiller avec sa traductrice française. Je trouve cela peu lucide, presque un peu médiocre. Et, bien sûr, ce sont surtout des hommes : les filles, c'est destiné à un autre usage et il faut qu'elles soient jeunes. Le jour où je lui ai dit en riant : « Je suis une sacrée privilégiée, je suis une femme, je ne suis pas juive et vous me recevez quand même », il a ri aussi, mais il savait bien que je ne plaisantais pas tout à fait. Je ne sais pas si je chercherai à le revoir. C'est un sentiment étrange, car je l'admire profondément. Je déteste ces Américains qui pensent, comme cet étudiant venu m'interroger sur mes goûts en littérature américaine : « *Oh ! Roth ? Old fashioned !* » Démodé ? Je lui ai crié : « Homère, Shakespeare, Cervantès, Dante, Faulkner, Joyce... *Old fashioned ?* » Il m'a regardée comme si je sortais d'un asile. Une histoire qui ravirait Roth, et le conforterait dans l'idée qu'on « n'écrit même plus pour des sourds, on écrit pour écrire ».

Avec le Français au même prénom, Philippe Sollers, tout avait également plutôt mal commencé. Mais c'était tout différent puisque, je l'ai dit, il était une admiration de ma jeunesse et qu'il est, aujourd'hui, le seul écrivain que je connaisse dont je puisse vraiment dire qu'il est un ami – appellation dont je suis plutôt avare. Quand il a publié *Portrait du Joueur*, au début de 1985, François Bott m'a demandé de faire un portrait de lui. Je l'avais rencontré une seule fois, deux ans plus tôt, dans son bureau, alors chez Denoël, pour recueillir ses impressions sur un film de Volker Schlöndorff adapté de Proust. Il partageait son bureau – cela depuis toujours, je l'ai appris par la suite – avec Marcelin Pleynet, et, en dépit de la sympathie que je lui porte, je n'avais guère aimé que celui-ci assiste à l'entretien. Heureusement, ce samedi matin de janvier, Sollers me donne rendez-vous chez lui, dans le studio où il écrit.

À l'évidence, la fois précédente, il ne m'a pas vue : il ne me reconnaît pas. Il est courtois, chaleureux, souriant, rieur même. Je le trouve un peu trop joyeux, et un peu trop lisse pour ses quarante-huit ans. À l'époque, je devais aimer les hommes plutôt marqués, les sinistres dont l'air sombre me semblait un signe de profondeur. J'ai bien changé : les sinistres me paraissent surtout cacher sous un masque torturé un grand vide… Il répond avec précision, il parle comme un livre, mais il est tellement ironique que je suis de plus en plus mal à l'aise. Il en profite pour me dire : « Quand vous serez moins angoissée, on pourra parler de l'aspect sexuel de mon livre. » Pas drôle du tout. Et là aussi, je suis mauvaise. Heureusement, je ne me souviens plus de mes propos. À midi, au bout de deux heures d'entretien, on arrête. Il sort avec moi, nous avons tous les deux rendez-vous au même endroit, à La Closerie des lilas. L'ascenseur de l'immeuble est minuscule, il me prévient qu'il faudra se serrer l'un contre l'autre « si ça ne vous fait pas trop peur »... La remarque comme le ton m'exaspèrent. Décidément, il ne faut pas rencontrer les écrivains qu'on admire. Je ne reviendrai jamais l'interviewer, j'en suis sûre.

Je ne sais pas comment nous nous sommes revus. Je crois que, quelques mois plus tard, au bar du Pont-Royal, Françoise Verny, passablement éméchée, m'a mise au défi d'aller « rouler une pelle à ce don juan ». Je n'avais dû boire qu'un verre, c'était toutefois suffisant pour que je relève ce stupide défi. Il a laissé faire, et m'a regardée comme une gentille idiote particulièrement culottée. Mais nous avons parlé. Et nous nous sommes reparlé, plusieurs fois. François Bott et moi aurions aimé qu'il écrive régulièrement dans *Le Monde*. Quand je le lui ai proposé, il n'y a pas cru : « Je suis tricard au *Monde* ! – Pas du tout, vous êtes parano ! » Il était pourtant vrai qu'il avait de solides ennemis dans la place, dont il a fallu subir les quolibets et les remarques acerbes :

Bott et moi avions fait revenir quelqu'un dont on croyait être débarrassé.

Par chance, comme l'a si bien dit Cézanne, quand on sait faire, ça finit par se savoir. Et même ceux qui n'aimaient pas ses livres ont vite reconnu la singularité et la qualité de ses articles. Pour éviter les accusations de copinage, et pour le protéger lui-même d'amicales pressions, il était convenu qu'il n'écrirait que sur les écrivains du passé. Il a alors inventé une manière non muséale de traiter ce qu'on nomme l'Histoire littéraire, le patrimoine. Une façon unique de faire résonner les textes d'autrefois dans notre aujourd'hui, qui a convaincu les plus réticents – sauf ceux dont la mauvaise foi est incurable et qui ne m'ont pas pardonné de lui avoir donné l'occasion de montrer à un large public qu'il posséde ce talent critique. Lorsqu'un écrivain parle d'un autre qu'il admire, il sait l'éclairer comme personne. Deux livres de Sollers, qui rassemblent des essais critiques, *La Guerre du goût* et *Éloge de l'infini* reprennent la plupart de ses articles du *Monde*, depuis 1987. En 2005, il a décidé d'accepter la proposition que lui faisait Jérôme Garcin de collaborer au *Nouvel Observateur*. Contrairement à ce qu'on a rapporté ici ou là, il n'a pas quitté *Le Monde* par solidarité avec moi, qui venais d'être mise à l'écart : il y était prêt, je lui avais demandé de n'en rien faire. Mais ceux qui étaient parvenus à m'exclure se sont arrangés pour le pousser dehors. Il semble qu'à l'*Observateur*, on soit dans une atmosphère plus civilisée et qu'on accueille sa collaboration avec bonheur.

Au *Monde*, que n'ai-je entendu au fil des années ? Dans un article sur Henry Miller, il faisait allusion à Le Clézio, mais aussi à son propre roman, *Femmes*, dont le narrateur est américain : « Inadmissible, il faut couper ! » Ou encore : « Il traite de Voltaire en Pléiade ! Mais il travaille pour l'éditeur ! » Il est bien évident que, en parlant de ce Voltaire, on faisait une scandaleuse publicité à Gallimard, qui, tout aussi évidemment, allait en tirer de colossaux bénéfices. Quant à l'intérêt d'une relecture aiguisée de Voltaire, vraiment, quelle importance !... Alors, il fallait trop souvent négocier : « Une seule Pléiade par an, à la limite, c'est acceptable... » Des discussions stupides, aboutissant à se priver d'une voix singulière. Je suis quand même heureuse de ces dix-huit années de travail commun, avec, comme le constate aujourd'hui Garcin, un homme toujours prêt à accepter le sujet qu'on lui propose, toujours à l'heure, ne refusant pas de couper si la maquette l'exige, alors que des stagiaires crient au scandale parce qu'on leur a retiré deux adjectifs et trois virgules...

Personne n'aurait l'idée de dire que Jérôme Garcin est « manipulé » par Philippe Sollers.

Mais moi, je suis une femme. « Sous influence », comme l'avait écrit, dans *Esprit*, un écrivain de seconde zone se faisant courageusement passer pour un « lecteur de base » de la revue, censé exprimer l'indignation de ce lectorat devant la forfaiture d'une alliance fondée, on ne pouvait en douter, sur des « intérêts » méprisables. Ou sur l'aliénation hébétée d'une parfaite imbécile incapable de se forger une opinion personnelle. Il faisait un peu moins le fanfaron, celui-là, le jour où je l'ai pris au collet lors d'un Salon du livre de Paris, en lui enjoignant de répéter devant moi que j'étais une femme sous influence. La majorité des quelque deux cent cinquante articles écrits par Sollers pour *Le Monde* pendant ces années portent sur des sujets qu'on lui a proposés, et non l'inverse.

Dans ses mémoires, *Un vrai roman*, paru chez Plon à l'automne 2007, il s'étonne que ses amis ne lui tiennent pas rigueur des ennuis qu'il leur vaut. Mais lui tenir rigueur de quoi ? De la sottise de quelques médiocres malveillants qui, relayés par d'autres malveillants stupides, m'ont mise à terre ? Je n'y ai jamais pensé. Rien ne me fera regretter ces années si excitantes, où je pouvais mettre à la une du cahier livres des textes qui m'enthousiasmaient. Rien ne me fera regretter les conversations que nous avons eues et continuons d'avoir, nos affrontements aussi, notamment quand je l'entends encenser certaines femmes que je combats, juste par désir de montrer qu'il sait tout de la « nature » des femmes, leur goût du stéréotype, leur manque d'humour, leur dédain de la liberté. Cela m'exaspère. Pourtant, j'aime discuter, voire me disputer avec lui, justement parce qu'il n'est pas réellement sexiste et n'a pas les défauts que je trouve en général aux hommes. Un paternalisme sournois, surtout chez ceux qui se disent féministes et feignent de croire que, entre les hommes et les femmes, le malentendu est résolu : Sollers sait qu'il est éternel, mais aussi qu'on peut essayer de le rendre moins pesant, aux unes comme aux autres. Il n'est pas macho une seconde, il ne cherche pas à exhiber, comme presque tous les hommes, une virilité ostentatoire, qui, bien souvent, ne cache qu'une homosexualité refoulée – d'où ma préférence pour les homosexuels conscients et affirmés. Il n'a pas ce désintérêt, masqué parfois, mais profond, qu'ont la plupart des hommes pour les femmes, intellectuellement, et même, quoi qu'ils en disent, sexuellement. Comme Sartre et quelques autres, il préfère la compagnie des femmes. Dans ma vie, les hommes qui, vraiment, profondément, aiment les femmes, je les compte sur les doigts d'une main – et encore je crois qu'il y a trop de doigts. En outre, sommet de la courtoisie, Sollers n'est jamais de mauvaise humeur, jamais fatigué, jamais déprimé. Ce qui fait de lui une exception. Ce n'est pas mon cas : je suis rarement fatiguée, mais d'humeur pour le moins inégale. Je lui dis souvent en plaisantant qu'il devrait être remboursé par la Sécurité sociale. Et il est certainement l'homme qui me fait le plus rire. Je crois que je le fais rire aussi, par mon côté « personnage de roman de Sollers ». Quand je le lisais, étudiante, je n'imaginais pas qu'un jour je me sentirais proche de personnages qu'il allait mettre en scène. Des femmes qui, sauf exception, préfèrent les femmes, non par particularisme sexuel, sans se revendiquer comme lesbiennes, mais parce que les relations que les hommes veulent instaurer avec elles leur sont intolérables. Dans ses romans, elles ont généralement la sympathie du narrateur. Il n'est donc pas étonnant que j'aie eu la sympathie ironique de l'auteur. Comme certains de ses personnages féminins, je fais volontiers des remarques incongrues, tantôt naïves, tantôt provocatrices. Souvent, j'ai lu des critiques lui reprochant d'inventer des dialogues improbables. À moi, ces paroles paraissent vraisemblables, je m'y reconnais, y compris dans le dérisoire, le négatif, voire le ridicule. Et j'aime en rire avec lui. Les hommes me font rarement rire. Non que je les trouve sérieux. Tout au contraire. Dans les relations professionnelles, je les ai parfois admirés ou subis, mais dans la vie privée, je n'ai jamais réussi à les prendre tout à fait au sérieux. Sollers, je le prends au sérieux, ce qui va encore agacer les crétins, et j'aime que, abrité derrière les clichés médiatiques dans lesquels on prétend l'enfermer – et qu'il ne dément pas –, il soit tout le contraire de ce qu'on prétend. Il l'a dit avec une parfaite exactitude dans son roman le plus directement autobiographique, *Portrait du Joueur* : « Tenir son image, son rôle... Le mien ? Bouffon, histrion, provocateur, plagiaire, faussaire [...] Retourneur de vestes ! Sauteur ! Jongleur ! Cascadeur !... Moi, si appliqué, si sérieux !... Moi, au fond, si patient, calme, véridique, fidèle !... » Et si secret, sortant peu, pas du tout mondain. Un homme d'une grande générosité, extrêmement attentif à ses amis. Un paradoxe à lui tout seul : un solitaire convivial. Une intelligence toujours en action. Et une culture qui fait honte à mon ignorance, d'autant qu'il est le contraire d'un cuistre.

J'admire son sang-froid, dont voici une anecdote emblématique. Sur le chemin de la Maison de l'Amérique latine à Paris, où je l'accompagnais pour un débat, il se fait entarter, non par l'entarteur « professionnel », Le Gloupier, mais par un plagiaire. Avec une tarte aux myrtilles. Dans l'instant, je fonce sur l'agresseur, et lui saute dessus. Un passant, me croyant aux prises avec un voleur de sacs, me prête main-forte. J'écume. Je parle d'appeler la police. Alors Sollers arrive, tel un spectre, violet de myrtilles. Il me dit de laisser là l'entarteur, et de repartir pour où nous allions. Et pas question d'appeler la police. Il s'approche juste un peu de l'homme qui le traite de « bouffon médiatique » et force la voix en disant : « Riez ! » – puisque c'est censé être un gag, la tarte. L'autre est médusé. Sollers hausse encore un peu le ton : « Riez ! Mais riez donc ! » L'autre ne rit pas du tout : l'injonction le terrorise. Et Sollers tourne les talons. À la Maison de l'Amérique latine, où l'on s'inquiétait, on est plutôt stupéfaits de l'apparition. Il demande de quoi s'essuyer et se laver le visage, me tend son imperméable maculé de myrtilles, mon manteau est tout collant aussi. Il entre dans la salle de débat, prie qu'on l'excuse de son retard et parle pendant presque une heure absolument comme si de rien n'était. Moi, quand vient mon tour, je suis encore tremblante de colère. Sans doute, ai-je dit pour amuser certains amis présents, parce que je n'ai pas pu cogner assez fort sur l'entarteur...

Un autre soir, un importun, nous voyant attablés ensemble dans un bar, a demandé à Sollers : « Mais pourquoi donc vous entendez-vous si bien, vous deux ? – C'est simple, a-t-il répondu, nous avons les mêmes goûts : nous préférons les femmes. » L'intrus a vaguement ri et est parti sans aucun commentaire. À propos de goût, nous en avons un autre en commun : une horreur de la familiarité. Je ne l'ai jamais tutoyé et jamais appelé Philippe, je déteste le *first name dropping*, cette manière d'appeler un écrivain par son prénom pour laisser entendre qu'on le connaît bien, qu'on est proche de lui. Qui est jamais vraiment proche d'un écrivain ?

Un dernier mot, tout spécialement pour ceux qui le traitent de « polygraphe mondain » et autres variantes modernes des staliniennes « vipère lubrique » ou « hyène dactylographe ». C'est un héritier de la plus belle prose française, un grand écrivain français du XXe siècle et du début du XXIe. Si cela m'a coûté cher de le dire et de m'y tenir, ce n'est pas très grave, parce que j'ai raison. Et cela finira par se savoir.

11

Péripéties « parisiennes »

Puisque c'est de Sollers qu'on s'est servi pour armer le fusil contre moi, il faut bien que je dise un mot de ces perfidies, de ces salves de calomnies qui m'ont conduite à oser écrire ce texte. Était-ce seulement une histoire « parisienne », « germanopratine », selon cet adjectif qui a cessé d'être topographique pour signifier désormais un monde réputé vivre de magouilles, copinages et commérages, et dont on se gausse dans les endroits où l'on se prétend « authentique » – voilà un mot qui ment toujours –, chez les « vraies gens », dont je me demande bien qui ils sont. Cela dit, j'ai cru moi aussi que ce n'était pas grand-chose, les gesticulations de Jean-Edern Hallier. Juste les aléas de la société du spectacle. Comparé aux médiocres qui m'ont attaquée par la suite, Hallier, c'était un personnage. Un écrivain, un polémiste, une figure du milieu littéraire aux brillants débuts, trente ans plus tôt, dans le groupe d'avant-garde Tel Quel, aux côtés de Philippe Sollers. Hallier avait été vite exclu, et le groupe s'était recomposé différemment, autour du seul Sollers. Cette exclusion d'Hallier avait laissé des traces : Sollers et lui ne se sont reparlé, de manière éphémère, qu'au milieu des années 1980. Hallier avait par ailleurs, après Mai 68, dirigé un journal gauchiste, *L'Idiot international*. Au début des années 1990, il venait de reparaître. Hallier, qui savait lire, était peut-être lucide sur son œuvre d'écrivain, ou plutôt sur son incapacité à construire vraiment une œuvre. Il avait donc choisi d'oublier le long terme, la postérité, pour exister bruyamment au présent, par la polémique et le scandale. Ses attaques contre le président de la République d'alors, François Mitterrand, qu'il avait longtemps courtisé, ses coups d'éclat contre le jury Goncourt, ses ragots sur les hommes politiques, les hommes d'affaires, les écrivains en vue, lui valaient une existence médiatique. Sincèrement admiré par quelques-uns pour son rôle de trublion téméraire, il était surtout utilisé par beaucoup d'autres pour faire, à leur place, les mauvais coups dont ils rêvaient.

Je l'ai rencontré vers 1985. Il n'était pas dépourvu d'esprit, et sa conversation était moins ennuyeuse que celle des hypocrites sous-diacres du clergé littéraire, soucieux de réussir, mais veillant à ne jamais se mettre en danger. Il ne me séduisait pas pour autant, tandis que certains de mes confrères du *Monde* étaient sous son charme. Je le trouvais trop tonitruant, trop courtisan et obséquieux avant de devenir injurieux quand il n'obtenait pas ce qu'il avait convoité, trop imbibé de vodka et de cocaïne, et je ne l'admirais pas vraiment comme écrivain. Toutefois, il ne m'était pas désagréable de le rencontrer, et lui cherchait, partout, des entrées dans tous les organes de presse. En 1991, lorsqu'on m'a confié la responsabilité du « Monde des livres », les coups de téléphone d'Hallier se sont multipliés. Il avertissait qu'il allait faire tel jour telle action spectaculaire, il fallait se tenir prêt. Il annonçait six mois à l'avance la parution de son nouveau livre. Pour qu'on s'intéresse encore plus à lui, il a fini par prétendre être devenu aveugle. Malheureusement, au plus fort de ses démêlés avec moi, je l'ai croisé dans un train. Au moment où je suis passée devant lui, il a eu un immédiat mouvement de recul. Étrange comportement pour quelqu'un qui ne voit plus. Selon lui, son grand livre, plus encore que *L'Honneur perdu de François Mitterrand*, dont il parlait depuis des années, et qui devait révéler un secret de polichinelle, l'existence de la fille cachée du président, Mazarine, allait être *Je Rends Heureux*, à lire aussi JRH, Jean-René Huguenin, hommage à son ami du temps de Tel Quel, disparu prématurément.

C'était un retour vers leur jeunesse commune et prometteuse, un texte assez bâclé, et plutôt pénible dans son évocation de la guerre d'Algérie. Hallier proclamait qu'il aurait voulu faire cette guerre, ce « jeu de foulards à poignards réels », mais qu'il en était empêché par sa santé – un seul œil valide –, tandis que ses amis de Tel Quel avaient tenté d'y échapper, notamment Sollers qui, après une grève de la faim, un séjour en hôpital militaire, avait été réformé. L'ensemble était assez répugnant, je l'avais écrit très simplement, et je me souviens d'avoir terminé ma recension par une référence à Renaud Matignon. J'avais trouvé un texte où il affirmait qu'Hallier écrivait tantôt un livre de surdoué, tantôt un livre de cancre. Eh bien, *Je Rends Heureux* était un livre de cancre ! Pas très agréable comme critique, en effet, mais toutefois rien à voir avec les démolitions hebdomadaires de la quasi-totalité de la littérature française contemporaine auxquelles se livrait depuis des années, en toute tranquillité et en toute impunité, à *L'Express*, Angelo Rinaldi, qui siège aujourd'hui à l'Académie française.

Cependant, à la lecture de mon article, Philippe Sollers m'avait mise en garde. J'avais, disait-il, fait allusion à l'Algérie, donc à un contentieux jamais réglé entre eux, et Hallier ne saurait me le pardonner. Sollers a toujours soutenu que le père d'Hallier, général à la retraite, ancien ambassadeur de Vichy, avait voulu aider son fils à se débarrasser de lui en le faisant envoyer en Algérie. J'ai écouté, mais tout cela me paraissait une vieille histoire. Et Sollers décidément trop parano, même s'il disait vrai. Dès le mois suivant, j'étais l'une des cibles de *L'Idiot international*. La campagne commençait. Elle allait durer des mois, parfois sur des doubles pages.

Jean-Edern Hallier savait doser l'injure et le comique, au point même de faire rire, par un bon mot, ses victimes. Exemple : toujours passablement violente, j'ai voulu m'empoigner, un jour, avec le rédacteur en chef de *L'Idiot international*, Marc Cohen, qui, dans un bar, venait de me faire porter la livraison mensuelle de son journal, avec une double page dont j'étais, malgré moi, l'héroïne. Après avoir demandé d'où venait ce qu'on m'apportait, je me suis précipitée à sa table, j'ai cassé un verre, comme dans les westerns, et je lui ai intimé l'ordre de se lever et de sortir. Il s'est levé, il m'arrivait à l'épaule – et je ne suis pas géante... J'ai évidemment renoncé à le frapper. Résultat : le mois suivant, un article d'Hallier commençant par cette phrase : « Elle s'est attaquée au plus petit rédacteur en chef de Paris, un mètre cinquante-quatre. » Comment ne pas en rire ? Cela dit, ce n'était pas l'ordinaire de la douche froide mensuelle et répétitive. Tout y est passé. Toute la panoplie du fascisme ordinaire, l'odeur – « son entrecuisse fleure bon le lisier poitevin » –, la corruption – « elle est vendue à Antoine Gallimard qui lui offre des visons », l'origine sociale, la vie privée, les mœurs – « elle est le déshonneur des gouines ». Les détails étaient sordides, quelques mercenaires d'Hallier étaient allés enquêter sur mes premières années à Châtellerault, je l'ai dit en parlant de mon enfance. Un autre avait piégé ma mère au téléphone en se faisant passer pour un journaliste canadien qui ne parvenait pas à me joindre. Un autre encore cherchait des hommes et des femmes qui auraient partagé mon lit. Et sans ma terrible odeur qui empêchait le directeur du *Monde* de me convoquer dans son bureau – tant il fallait « un solide pince-nez » pour m'approcher –, il y a longtemps que j'aurais été éjectée.

Le plus blessant, le plus inquiétant, mais aussi le plus pertinent pour juger de la société dans laquelle tout cela avait lieu, n'était pas dans les insultes. Quand des avocats ont préparé un dossier pour intenter une action en justice, leurs conclusions avaient un côté canular. Les « trouvailles » d'Hallier finissaient par s'annuler, cela devenait seulement lassant. Pour pénible qu'il soit, cet étrange folklore, bien « parisien » en effet, n'était guère intéressant, pas plus qu'Hallier lui-même, cherchant, comme à son habitude, à attirer l'attention, forçant la note de mois en mois pour provoquer une action en justice, que j'étais bien décidée à ne pas lui offrir. En revanche, ce qui mérite d'être observé aujourd'hui encore, c'est ce qu'il suscitait, et à quoi il servait. Il devenait un emblème, une figure de l'abjection, derrière laquelle on pouvait se dissimuler tout en l'approuvant, en pensant qu'il serait bouclier et bouc émissaire, que lui seul serait tenu pour le sale type, le glauque. Quelle aubaine ! Ainsi, on l'a vu, de plus en plus souvent, dans les livraisons mensuelles de *L'Idiot international*, rapporter les propos que lui tenaient sur moi des gens très convenables, des barons du milieu littéraire – qui, plus tard, s'empresseraient de nier, tout en sachant que je ne les croirais pas, tant il était évident qu'ils s'étaient laissés aller, qu'ils s'étaient fait plaisir. Ainsi, tel romancier en vue assurait Hallier de son soutien contre la harpie que j'étais – ce qui demeurait une assez modeste contribution à la « cause ». Mais tel autre affirmait que je me faisais « sauter » dans les toilettes du bar du Pont-Royal par l'ennemi de prédilection d'Hallier, Sollers. Ce « dénonciateur »-là, à coup sûr, n'avait pas enquêté sur moi, sinon il aurait su à quel point je déteste les lieux inconfortables pour me livrer à des jeux érotiques. Mais que venait donc faire le milieu littéraire de ce début des années 1990 dans cette affaire ? Qu'un hebdomadaire d'extrême droite suive Hallier en titrant : « La grande prêtresse du "Monde des livres" est-elle corrompue ? » rien de plus logique. Mais pourquoi Bernard Frank, dans sa chronique du *Nouvel Observateur*, me traitait-il d'« impératrice rouge » ? Pourquoi Bernard Pivot, alors au faîte de sa renommée, prenait-il le parti d'Hallier ? Pourquoi la très bien-pensante revue *Esprit*, bataillant une fois de plus contre Sollers, montait-elle un « dossier » contre moi ? Je n'étais pas certaine de bien comprendre. La réponse avait pourtant été donnée dix ans plus tôt dans un livre, de Sollers justement, *Femmes*, que je prétendais aimer et que j'avais mal lu, m'intéressant probablement trop aux seuls personnages féminins. Hallier avait inspiré la figure de Boris Fafner, et tout était dit, en quelques mots : « Les vrais puissants-impuissants s'ennuient tellement… Boris est leur distraction, leur petite perversité du jour, leur inspiré d'opérette, leur dibbouk, leur diable en carton qu'ils se refilent d'assiette en assiette pour se faire un peu peur… »

C'est pour mettre fin à cela, à cette complaisance sociale, que *Le Monde* a finalement décidé de poursuivre Hallier en justice. Il avait plusieurs avocats, certains se sont défilés. Restaient François Gibault – le biographe de Céline –, qui s'est tenu, et Jacques Vergès, qui s'est lâché. Il a fait trop long et trop lourd sur mon « clitoris querelleur ». Je passe sur le reste, encore plus pesant. Moi, j'avais deux avocats délicats et élégants, Yves Baudelot, pour *Le Monde*, et Jean-Denis Bredin. Je suis encore un peu gênée de les avoir contraints à entendre Vergès et surtout Hallier, vitupérant à la fin de l'audience, m'interpellant en me tutoyant, et moi, perdant mes nerfs, lui criant de ne pas me tutoyer et de se taire. La présidente a fait évacuer la salle. Et, comble de la vulgarité ou du mépris, Vergès, sans doute pour me féliciter d'avoir soutenu son regard pendant toute sa plaidoirie, m'a fait envoyer des fleurs... Hallier a été condamné. Il a fait appel. Il a été de nouveau condamné. Il n'a évidemment jamais payé les dommages et intérêts. Peu importe.

Puis il est mort, et si, quand je lisais ses insultes, j'avais parfois envie de le tuer, sa mort ne m'a fait aucun plaisir. Et je ne lui en veux pas. Beaucoup moins qu'à ceux qui l'ont soutenu à l'époque, et qu'à ceux qui l'ont imité. Ceux-là, les suiveurs, ont agi avec le sentiment qu'ils auraient des gens bien sous tous rapports – les « vraies gens » ? – de leur côté. Hallier, lui, ne suscitait pas l'assentiment social. C'était un trublion, mais aussi un trouble-fête : excessif, trop voyant, limite infréquentable. Pour l'hallali, les autres voulaient juste faire partie de la fête, « en être », mais bien serrés les uns contre les autres, indistincts, presque anonymes. Pas vu, pas pris.

Je laisse de côté Claude Durand et le supposé dommage collatéral que j'ai été. Et je vais évacuer vite les deux dont je n'écrirai pas même le nom. Cet universitaire dépité d'être obscur, et qui a trouvé le bon moyen de se faire remarquer en attaquant, dans un pamphlet peu talentueux, tous les écrivains contemporains qui comptent, et, bien sûr, particulièrement ceux que défendait « Le Monde des livres ». C'était reparti ! J'étais une zombie sous influence, Sollers dirigeait « Le Monde des livres » à ma place. Je n'étais qu'une « ventriloquée corrompue », comme l'a résumé un ex-futur grand écrivain. Et moi, encore idiote – c'était la dernière fois –, qui ai voulu m'expliquer, argumenter, preuves en main, me justifier. L'éditeur du pamphlet, je l'avais croisé une fois. Il s'était montré très cordial, soulignant que *Le Monde* était le seul grand journal à avoir consacré une une à un livre de sa petite maison. Je lui ai demandé des explications. Il m'a invitée à déjeuner, et je n'ai écouté aucun des conseils qui m'incitaient à refuser. En deux minutes, j'ai vu qu'il était bardé de mauvaise foi et de malveillance. Je me suis mise en colère, j'ai dit des horreurs – pas comme il les a rapportées, ce garçon n'a pas d'oreille ! Et il s'est fait une joie d'écrire lui aussi un pamphlet, encore plus sordide que celui de son acolyte. On le voit aujourd'hui : il n'a joué les vertueux que pour devenir le prototype de ce qu'il prétendait condamner, le cumulard qui est à la fois éditeur, chroniqueur, animateur de télé, dans plusieurs émissions où il joue lourdement le méchant – un rôle qui désormais, on ne sait pourquoi, semble être devenu un gage de probité. Malheur à qui admire, s'enthousiasme : il y a du louche là-dessous !

Mais le fait est que ces petites histoires médiocres, cette « écume » de la vie parisienne, ont eu un effet, pas vraiment superficiel, sur ma vie. Qu'en reste-t-il, et moi, que me reste-t-il après le passage de cette marée nauséabonde ? Je ne sais trop. Je vais citer à nouveau *Femmes* puisque désormais je l'ai bien lu : « Le suicide ? Mais non... Si le monde est la mort, la mort ne permet pas de sortir du monde... Il faut donc tenter d'être là tout en n'étant pas là ; se sentir avec le plus de certitude comme n'étant pas là pendant que, transitoirement, on est là... »

Je m'entraîne.

12

« C'est une île plate... »

Bien avant de rêver sur les Monts-Déserts de Marguerite Yourcenar, j'ai eu le goût des îles. Je ne sais toujours pas d'où il vient, je ne pense pas que ce soit de Robinson et son Vendredi. J'aime que Manhattan soit une ville-île. J'ai une prédilection pour l'Atlantique. Encore une contradiction, puisque je préfère les chaleurs caniculaires, le climat méditerranéen. Mais l'eau atlantique m'accompagne mieux, l'Océan est vivant. Depuis l'enfance – j'ai su nager très tôt –, j'aime y nager, droit devant, loin. Trop loin parfois pour les yeux amicaux qui me guettent de la plage. En Méditerranée, la végétation m'enchante, les couleurs me rendent joyeuse, l'eau m'est plus accueillante, plus chaude, mais je la sens plus imprévisible, je suis facilement inquiète, en alerte. Cette mer ne m'est pas confortable, et quand, soudain, le vent se lève, elle me fait même peur. J'ai le goût des marées, j'aime la sensation d'être ramenée au bord quand la mer monte, il suffit alors de se laisser porter, ou presque, pour regagner la plage, et, au contraire, quand elle descend et entraîne vers le large, la certitude qu'il faudra forcer un peu pour rentrer.

C'est en Méditerranée pourtant qu'est la plus belle et grande île métropolitaine, la Corse, mais c'est un pays à elle seule. Les îles bretonnes sont somptueuses, Yeu a un charme particulier, mais tout cela est vraiment trop au nord pour moi. Y aller pour la beauté, oui, s'y installer, impossible. De toute façon, je n'avais jamais songé à m'installer – mot honni – où que ce soit, encore moins à posséder. Je n'aime pas acquérir, j'aime dépenser… un argent qu'en général je n'ai pas. Entre la belle Bretagne, trop froide, et la magnifique Corse, il y a les deux îles de l'Atlantique, Ré et Oléron, proches des plages de mon enfance, Royan et Saint-Georges-de-Didonne. Ré, la plus petite des deux, est plus harmonieuse, mieux préservée. Dans ma jeunesse, elle n'était pas encore envahie par ceux qu'on appelle les bobos, mais c'était déjà l'île chic, le lieu de villégiature de la bourgeoisie rochelaise et bordelaise. Oléron, que méprisait sa voisine, était, en dépit de ses très beaux paysages, plus divers qu'à Ré, l'île des prolos, des colos et des campeurs. Certes, elle était – elle est toujours – sans grâce architecturale, gangrenée par des parcelles non constructibles sur lesquelles s'entassaient caravanes et cabanes – on n'avait pas encore importé le mobil-home en France. Mais elle est riche de plages immenses, ininterrompues sur des kilomètres, d'une lumière exceptionnelle, de forêts, de marais, d'oiseaux, de ports, de marins et d'ostréiculteurs.

À dix-huit ans, dès mon permis de conduire en poche, j'ai délaissé le continent pour partir à la découverte de ces deux îles. Surtout Oléron, qu'on pouvait rejoindre par un pont – à Ré, il est venu bien plus tard, dans les années 1990. Même avec un pont, même très proches du continent comme le sont Ré et Oléron – et aussi l'île de Marguerite Yourcenar –, une île est un monde à part, fermé, qui sécrète un singulier rapport à l'espace et au temps. Sur le continent, on pense en kilomètres, pas sur une île. À Monts-Déserts, on va volontiers, de North East Harbor, prendre un verre à Bar Harbor, bien que ce soit un village éloigné. À Oléron, on va rituellement, le dimanche, au marché du Château, tout au sud, même si on habite tout au nord, à Saint-Denis.

Je crois avoir aimé Oléron dès ce moment-là, mais j'ai vite voulu oublier tous les lieux trop proches de mes étés d'enfant. J'avais à faire, au loin. Je voulais voir le Maghreb et l'Europe du Sud, avoir chaud, revisiter le passé, la Grèce, l'Italie... Venise et Rome... Je voulais connaître cette

Amérique vers laquelle je me donnais l'illusion de nager en faisant quelques centaines de brasses dans sa direction... Je pensais qu'il fallait, pour avancer et se construire, en finir avec les étés de sa jeunesse, comme s'ils étaient menaçants de nostalgie, voire de défaite. Je ne suis revenue à Oléron que dix ans après mes premières escapades, à la fin des années 1970, avec des amis, en hiver, dans la maison que leurs parents n'occupaient pas en cette saison, pour fuir les fêtes de Noël familiales ou les réveillons de nouvel an parisiens. J'ai tout de suite été sensible à la douceur lumineuse des hivers, à l'immensité des plages presque désertes, aux mimosas de février. Je n'y venais jamais en été : trop de monde et pas assez de chaleur.

Il a suffi de quelques jours chez Marguerite Yourcenar, en juin 1987, pour me faire changer d'avis. Vous avez trente-six ans, me disait-elle, il est plus que temps d'avoir un endroit où oublier la vie sociale, une vraie « chambre à soi », une maison qu'on aime, qu'on façonne à son image. Autre coïncidence, mon amie d'enfance venait d'acheter une maison à Oléron. Je l'appellerai Claire, cela va bien à son visage de Vierge du XVe siècle. Nous nous sommes connues dans la petite station balnéaire de nos vacances d'enfants. L'année de mes neuf ans. Elle en avait six. Nous ne nous sommes jamais perdues de vue. Je n'en dirai pas plus. Elle est devenue une universitaire rigoureuse, et, malgré sa coupable indulgence à mon égard, elle ne peut que me désapprouver d'avoir accepté d'écrire un texte à la première personne. Raison de plus pour ne risquer aucune indiscrétion. La vie lui a été ingrate, infiniment plus qu'à moi, et beaucoup plus tôt, ce qui l'a privée de l'insolence insouciante que j'ai eue si longtemps. Nous savons, sans avoir besoin d'y insister, que, lorsque nous sommes ensemble, surtout sur cette île, resurgit en nous cette part d'enfance que nous ne partageons avec aucun autre de nos amis.

J'ai donc cherché moi aussi une maison sur l'île. Je la voulais dans un village, pas sur le bord de mer – trop triste en hiver, avec ces maisons de vacances toutes fermées – mais avec un petit jardin, bien sûr. J'avais peu d'argent et on ne me montrait que des horreurs, des espaces réduits, aménagés pour entasser des familles en été – lits superposés et autres mezzanines. Claustrophobie assurée. J'allais renoncer quand je suis tombée sous le charme d'une petite bâtisse du XVIIe siècle, dans un village, certes, mais sans le moindre jardin. Avant l'urbanisation, du premier étage, on voyait la mer, distante d'un kilomètre... Et voilà que moi qui ne m'intéressais en rien au lieu que j'habitais, qui n'avais ni le goût des meubles ni celui des objets, qui défaisais à peine ma valise entre deux voyages – comme pour être toujours prête à partir, voire à fuir –, j'achetais une maison emplie de mémoire et de fantômes. On disait qu'elle avait été la demeure d'un pirate, peut-être même d'une femme pirate... Le nom du village, La Chefmalière, venait peut-être de cette « chef »-là. On doit pouvoir vérifier tout cela aux archives départementales. Je n'ai pas envie de savoir. Pour une fois, je préfère la légende à la rigueur de l'information. En achetant cette supposée maison de pirate, j'ai fait un virage à cent quatre-vingts degrés. Plus d'ampoules qui pendent au plafond, attendant un hypothétique lustre... Les meubles de ma grand-mère paternelle, la grosse armoire, le lourd buffet, et les « verres de voleur » de son bistrot... Les bocaux en verre bleu que Marguerite Yourcenar aimait tant, et autres faïences anciennes acquises lors de virées répétées dans les brocantes et vide-greniers. Un jour, Hector Bianciotti, me voyant sagement plier et lisser des torchons, comme j'avais vu faire ma grand-mère, s'est écrié, faisant à son habitude longuement vibrer les consonnes : « Mais vous avez des gestes ancestraux ! »...

Marguerite Yourcenar – justement. Le jour d'automne 1987 où j'ai signé la promesse de vente, je l'ai appelée. Nous devions nous voir à Paris quelques semaines plus tard, mais cette maison, je la lui devais, alors... « Elle est sur une île, j'espère », a-t-elle commenté. Et, quand elle a su laquelle, elle a ponctué, avec sa modulation si particulière, et un peu de dépit : « Mais c'est une île plate... » Certes. Seulement deux côtes, et encore ; plutôt des faux plats. Mais quand, à bicyclette, on a le vent de face, on préférerait parfois une bonne montée. Elle voulait que je prenne des photos de la maison, de la façade en « pierres de la côte », et « surtout des murs épais » – ils sont larges de soixante-quinze centimètres. Ce fut ma dernière conversation avec elle. Quelques jours plus tard, elle était victime d'une attaque cérébrale et mourrait avant la fin de l'année. J'ai pourtant le sentiment qu'elle veille sur cette maison. Sa photo, avec son regard transparent, entre bienveillance et ironie, je l'ai mise en haut de l'escalier.

Et puis il y a eu cet homme que mon ami pharmacien – nous nous étions liés d'amitié quand je venais lui acheter en abondance vitamines et autres stimulants pour écrire la biographie de Marguerite Yourcenar – tenait absolument à me faire rencontrer. Je résistais. Je connaissais déjà trop de gens sur cette île où je voulais rester à l'écart de toute vie sociale. J'ai cependant consenti, un jour de printemps 1995. J'ai tout de suite aimé la manière dont il parlait de son île. Il y était né, l'avait quittée, mais était toujours revenu vers elle. De tous les voyages. De toutes les ambitions. De toutes les amours. Il était lié à elle par un rapport intime, passionnel, charnel. Il savait comme personne évoquer le bonheur de sa lumière si singulière, à la fois évidence et mystère. Et l'étrange émotion qui saisit, quand on passe le pont. On « rentre » dans l'île, ou bien l'on en « sort »… Comme d'une maison. Sa clôture n'est pas une prison mais une protection.

Nous nous sommes revus souvent. Il m'a montré son île secrète. Ses chemins à lui, chemins de terre parfois, entre deux marais, passages périlleux pour les voitures trop larges. Quels curieux paysages ! En hiver, marais désolés, silence effrayant, temps suspendu. Dans les bons étés, chaleur blanche, marais secs, un air de Camargue. Au détour d'un chemin, soudain, un bosquet de pins parasols. N'a-t-on pas brusquement changé de région ? Aucun touriste ne sait venir là. À l'adolescence, lui venait y cacher ses premières amours. Discrétion garantie, douceur aussi. À l'abri du vent quand il fait frais, à l'ombre quand il fait chaud. Et puis Fort-Royer, et le dernier témoignage de l'ostréiculture à l'ancienne. Les chenaux dissimulés. Les cabanes à huîtres pas encore restaurées, délabrées. L'« hôtel Coop », de Saint-Trojan, la cité la plus balnéaire de l'île, qui me rappelle un peu trop Royan, avec ses photos sépia de vacanciers du début du XXe siècle. Les bateaux aux coques vert vif, comme devraient être peints tous les volets de l'île, si les nouveaux propriétaires n'étaient ignorants des traditions – on peignait autrefois les volets avec ce qu'il restait de la peinture du bateau. Alors on voit des bleu grec, ridicules sous cette latitude, pour ne rien dire des mauves copiés de mauvais feuilletons télé… Il tentait de m'apprendre la lenteur, l'attente, le silence, l'immobilité, au bord des marais, pour observer les oiseaux. Les oiseaux me font plutôt peur – sans doute à cause du film d'Hitchcock – et la lenteur m'angoisse. Le bitume, le bruit de la ville, l'agitation me rassurent – on peut se fuir, se perdre. Dans le silence des marais, on risque de se rencontrer…

Je crois qu'il était un peu amoureux de moi. Dans nos interminables conversations, je lui reprochais, sans indulgence et sans nuance – mes deux gros défauts –, de proférer trop de banalités, de demeurer dans l'univers du lieu commun. Mais il me séduisait, avec son côté dandy, assez féminin, totalement décalé par rapport à son métier – notaire – et à ses fréquentations. Il avait été beau, long, mince et brun, mais le temps l'avait un peu voûté et avait marqué son visage. Il avait eu l'idée stupide de quitter sa femme à cinquante ans, alors qu'il s'était marié très jeune et n'avait pas appris à vivre seul. Il est mort brutalement, un matin de fin d'été, trois ans plus tard, à cinquante-trois ans, il y a dix ans. En se levant de son lit. Comme par inadvertance.

Il est des endroits que je ne pourrais certainement pas retrouver seule – et en ai-je vraiment envie ? D'autres où je ne suis toujours pas retournée. Le golf dont il avait eu l'initiative, pendant son mandat de maire. Et la plage attenante, où l'on ne peut se baigner qu'à marée haute – pas de fond, trop de vase –, mais dans une eau toujours chaude. La pointe de Maumusson, tout au sud de l'île. Toutes mes rencontres inattendues ont été constamment heureuses. Sauf celle-là, balayée par cette mort précoce, d'une telle violence dans sa soudaineté.

Quand je peste en été contre le vent, trop froid, et la température trop basse, je me demande souvent, courbée sur ma bicyclette ou grelottant en sortant de l'eau : « Finalement, pourquoi cette île ? Et pourquoi ne pas avoir envie d'en partir ? » Peut-être parce qu'elle concentre, et doit donc apaiser, mes contradictions. Trop près du continent, trop tempérée, mais atlantique. Et si lumineuse, même en hiver, donc jamais déprimante. Trop abîmée au premier regard, mais dissimulant si bien ses beautés secrètes, qu'il faut chercher au-delà des apparences et des touristes. Si, pendant les étés, je déplore que le thermomètre monte rarement à plus de trente degrés – je m'indigne même qu'il descende au-dessous de vingt-cinq –, pendant toutes les autres saisons, je ne me plains pas du climat. J'aime les grands vents et les grandes marées d'équinoxe, les tempêtes, et marcher sous la bruine au bord de l'eau. J'aime les vagues énormes, pour surfeurs, et les forêts presque méditerranéennes. Les écluses à poissons et les parcs à huîtres. Les chalutiers qui débarquent leur cargaison à la Cotinière, le poisson tout frais et les très grosses langoustines… Les lauriers-roses qui parviennent à traverser l'hiver, et les bougainvillées qui n'arrivent pas à prospérer comme dans le Sud… Pas assez de chaleur… Les roses trémières qui poussent où bon leur semble – surtout celles qui sont rouge foncé, presque noires –, et les chats sans famille qui m'adoptent pour l'été avant de se chercher un nouveau toit. Je l'ai dit, dans les grandes villes, je n'ai jamais peur. Mais à la campagne, je regarderais volontiers sous le lit avant de me coucher. Pas dans mon île et ma maison bien protectrice.

Le temps serait-il venu de devenir totalement insulaire ? De renoncer à la bagarre ? D'admettre que j'ai perdu la bataille, somme toute menée joyeusement malgré les embûches, depuis le « mauvais côté du pont » ? Devrais-je rester ici, entre la côte et le marais ? Devrais-je oublier les villes, Paris, New York, Beyrouth dont je suis tombée amoureuse dès la première visite, en dépit des cicatrices de la guerre civile ? Comment savoir quand vient le moment, l'âge, où il vaut mieux déposer les armes ? Mais ne suis-je pas du genre à mourir les armes à la main ? Ou bien est-ce une posture ridicule ? Ne vaudrait-il pas mieux regarder enfin la réalité, faire le bilan et se replier ici ? Apprendre vraiment le silence ? C'est tentant, comme, autrefois, ce mariage américain. Mais je sais instinctivement, comme il y a plus de trente ans, que cela ne me ressemble pas. Les refuges, s'ils ne sont pas temporaires, me deviennent des prisons. Dans cette île, je retrouve une vérité. Mais si je m'y fixais, je recommencerais sûrement à me mentir. C'est là que j'ai osé pour la première fois écrire autre chose qu'un article, la biographie de Marguerite Yourcenar. C'est là aussi, après ma « chute de vélo », que j'ai dû faire face à mon aveuglement. Je m'affirme féministe, consciente de la situation des femmes, qui n'a pas autant changé qu'on le dit. Mais, à moi-même, je me suis menti. Je me croyais protégée par ma rigidité agressive. Je n'imaginais pas qu'on puisse jamais me supposer soumise à un homme, fût-il supérieurement intelligent. Je n'imaginais pas non plus, étant hostile – à l'excès ? – au compromis, qu'on puisse m'accuser de compromissions. Ai-je vraiment compris, même en essayant de l'écrire, ce qui m'est arrivé ? Ce n'est pas certain.

Aujourd'hui, sur l'île, le printemps s'est enfin annoncé et, « face à l'Amérique », je regarde la marée montante. Je voudrais seulement convaincre ceux, si nombreux, qui traversent des tempêtes, subissent des avanies identiques aux miennes, même si les modalités en sont très différentes, qu'il faut non seulement faire front, lutter, mais se chercher d'urgence un abri : maritime, campagnard, montagnard, selon ses goûts. Un lieu à soi seul. Quant à ceux qui m'ont déjà enterrée, qu'ils n'oublient pas que le reflux de l'océan est temporaire, intermittent. Et que je me sens résolument océanique.

Pour l'éditeur, le principe est d'utiliser des papiers composés de fibres naturelles, renouvelables, recyclables et fabriquées à partir de bois issus de forêts qui adoptent un système d'aménagement durable.

En outre, l'éditeur attend de ses fournisseurs de papier qu'ils s'inscrivent dans une démarche de certification environnementale reconnue.

Ce volume a été composé
par IGS-CP à L'Isle-d'Espagnac (Charente)
et achevé d'imprimer en août 2008
sur Roto-Page
par l'Imprimerie Floch
à Mayenne
pour le compte des Éditions Stock
31, rue de Fleurus, 75006 Paris

Imprimé en France

Dépôt légal : octobre 2008
N° d'édition : 01 – N° d'impression : 71879
54-51-5489/7